La Quête du Graal

Un dossier pédagogique consacré à ce livre se trouve
sur le site Casterman à la rubrique « enseignants » :
http://jeunesse.casterman.com/enseignants.cfm

casterman
87, quai Panhard-et-Levassor
75647 Paris cedex 13

www.casterman.com

ISBN : 978-2-203-03163-0

Création graphique : Anne-Catherine Boudet

Achevé d'imprimer en janvier 2010, en Espagne. Dépôt légal : mars 2010 ; D. 2010/0053/229

Déposé au ministère de la Justice, Paris
(loi n° 49.956 du 16 juillet 1949 sur les publications destinées à la jeunesse).

François Johan

Illustré par Nathaële Vogel

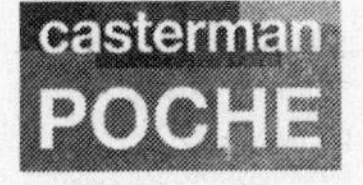

1

L'ADOUBEMENT DE GALAAD

Selon une coutume bien établie, le roi Arthur tenait, tous les ans, une cour magnifique à la Pentecôte. Il y conviait tous ses chevaliers de la Grande et de la Petite-Bretagne dont il était le suzerain respecté et estimé. Ceux-ci avaient grand plaisir à s'y rendre et ils n'auraient pas voulu manquer cette occasion de se retrouver.

Cette année-là, la veille de la fête, alors que la plupart des chevaliers de la Table ronde qui sont arrivés sont sur le point de passer à table, un serviteur vient dire qu'une très belle et avenante demoiselle demande à être reçue par le roi.

Le suzerain accepte de la recevoir.

On fait entrer la demoiselle dans la salle. Elle vient devant le roi. Elle le salue.

— Roi Arthur, que Dieu te protège.

Le roi lui rend son salut avec amabilité.

— Soyez la bienvenue, gente demoiselle. Dites-moi, je vous prie, ce qui vous amène ici en ce jour.

— Volontiers, Sire, mais je dois d'abord vous demander si Lancelot est en cette demeure.

— Oui, en vérité, répond le roi, il est parmi nous, comme presque tous mes chevaliers.

Lancelot se présente. La demoiselle se tourne vers lui et lui dit :

— Messire, je vous requiers de bien vouloir me suivre sans tarder jusque dans la forêt voisine.

— Qui vous envoie ? s'empresse de demander Lancelot.

— Il suffit que je vous dise que je suis de la maison du roi Pellès et que je viens de sa part.

— Savez-vous en quoi il a besoin de moi ? s'enquiert le chevalier.

— Il sera bien temps que vous le sachiez.

Lancelot donne l'ordre à son écuyer de seller son cheval et de lui apporter ses armes. Il prend congé du roi Arthur. Celui-ci et tous les barons regrettent fort le départ de leur compagnon.

La reine Guenièvre s'inquiète :

— Lancelot, comment pouvez-vous accepter de

nous quitter, alors que nous sommes tous ainsi rassemblés, à la veille d'une fête si solennelle ?

Lancelot ne sait que répondre.

La demoiselle s'empresse de dire à la reine :

– Sachez, dame, que son absence sera de courte durée. Lancelot sera de nouveau parmi vous, demain, avant l'heure du repas.

– Je me réjouis qu'il ne se sépare pas de nous plus longtemps, reprend la reine Guenièvre.

Le roi Arthur et tous les barons présents acquiescent. Ils pensent bien que Lancelot va connaître une belle aventure.

Lancelot monte à cheval. Il suit la demoiselle. Ils sortent de Camaaloth et chevauchent en direction de la forêt.

Au bout d'une demi-heure de route, ils parviennent dans une vallée où se trouve une abbaye. Lancelot et la demoiselle s'y rendent. Les religieuses qui y demeurent apprennent l'arrivée du chevalier. Elles s'empressent de lui faire bon accueil. Elles le conduisent dans une pièce où il retrouve ses cousins, Lionel et Bohor, les fils du roi Bohor de Gannes.

– Je me réjouis de vous revoir, dit Lancelot aux deux frères.

— Nous aussi, messire, répondent Lionel et Bohor, quoique nous en soyons très étonnés. Nous nous sommes arrêtés ici pour la nuit et nous pensions vous trouver, demain, à Camaaloth. Que faites-vous en cette abbaye ?

Lancelot explique comment une demoiselle est venue le chercher et l'a conduit en ce lieu.

Il conclut :

— Il est vrai que j'ignore encore la raison d'une telle démarche de sa part. Sans doute serai-je bientôt éclairé.

Tandis que les trois cousins s'entretiennent, une religieuse entre. Elle est accompagnée d'un tout jeune homme. Il est si bien fait qu'on n'en trouverait pas de pareil au monde.

La religieuse dit à Lancelot :

— Messire, je vous amène ce jeune homme que nous avons élevé pour notre plus grande joie. Notre souhait le plus cher serait que vous l'adoubiez.

Lancelot regarde l'adolescent. Il lui paraît de grand mérite. Aussi accepte-t-il volontiers la requête qui lui est faite.

Le jeune homme veille toute la nuit dans la chapelle. Le lendemain matin, Lancelot le fait chevalier.

Il lui chausse un des éperons et Bohor l'autre. Puis Lancelot lui ceint l'épée et lui donne l'accolade selon la coutume.

Une fois l'adoubement achevé, Lancelot se prépare à partir en compagnie de ses deux cousins.

Il demande au jeune chevalier :

– Messire, nous accompagnerez-vous jusqu'à la cour du roi Arthur ?

La religieuse répond :

– Non, messire. Il ne vous suivra pas maintenant, mais dès que nous jugerons le moment venu, nous vous l'enverrons. Soyez-en sûr.

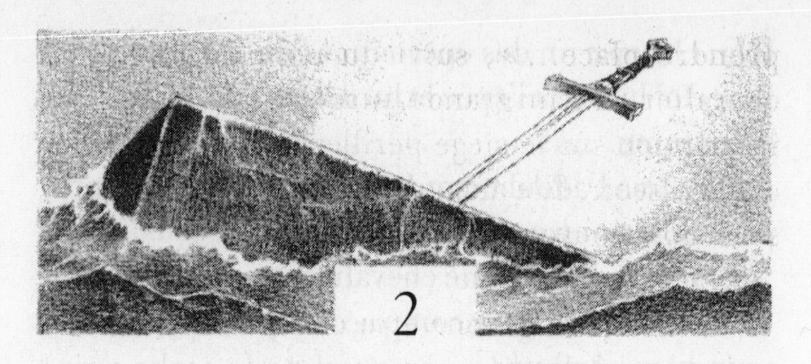

2

L'ÉPÉE PORTÉE PAR LES FLOTS

Lancelot s'en va, escorté de ses deux cousins. Ils chevauchent à grande allure et parviennent sans encombre à Camaaloth. Les chevaliers montent dans la grande salle. Les deux frères parlent entre eux du jeune homme que Lancelot vient d'armer chevalier le matin même. Bohor dit :

—Je suis sûr qu'il s'agit de Galaad, qui naquit de Lancelot et de la fille du roi Pellès. Il montre merveilleusement de nombreuses ressemblances avec ce lignage et le nôtre.

—Je le pense aussi, dit Lionel.

Ils cherchent à savoir la pensée de Lancelot, mais leur cousin ne dit mot.

Tous trois approchent de la Table ronde.

Ils voient écrit sur chaque siège : « Ici doit

prendre place… », suivi du nom de tel ou tel chevalier. À leur grande surprise, ils lisent une inscription sur le siège périlleux, celui où nul ne doit s'asseoir. Elle dit : « Le jour de la Pentecôte, ce siège doit trouver son maître. »

Lancelot s'écrie :

— Ce siège doit donc être occupé aujourd'hui, mais je voudrais que personne ne le sache avant l'arrivée de celui qui doit y prendre place.

Les cousins recouvrent alors le siège d'un drap de soie qui dissimule l'inscription. Le roi Arthur entre peu après. Il se réjouit du retour de Lancelot ainsi que de l'arrivée de Lionel et de Bohor. Il ne les avait pas vus depuis longtemps.

— Tous les chevaliers de la Table ronde sont là, maintenant, dit le roi.

Il demande que l'on mette les nappes car l'heure du repas est proche.

Quand tout est installé, le roi invite ses chevaliers à prendre place.

Keu, le sénéchal, dit alors :

— N'est-il pas habituel, sire, que, les jours de fête, vous ne passiez pas à table avant qu'une aventure soit survenue en votre cour ?

— Vous avez raison, Keu, répond le roi. Par ma

foi, j'ai toujours respecté cet usage, je ne compte certes pas l'enfreindre aujourd'hui. Seule ma joie de revoir Lancelot et ses cousins explique ma distraction.

Un jeune homme entre dans la grande salle alors que le roi achevait de dire ces mots.

— Sire, dit-il, j'ai vu flotter sur l'eau une pierre immense. Veuillez venir voir, je vous prie, car c'est bien étrange, en vérité.

Le roi Arthur et tous les chevaliers se rendent au bord de la rivière. Ils voient une grande pierre de marbre. Une magnifique épée, à la garde richement décorée de pierres précieuses, y est plantée. Elle porte l'inscription suivante, en lettres d'or : « Nul ne pourra m'ôter d'ici, hormis celui au côté duquel je dois pendre. Il sera le meilleur chevalier du monde. » Le roi Arthur s'adresse aussitôt à Lancelot :

— Messire, cette épée est pour vous, à bon droit. Chacun sait que vous êtes le meilleur chevalier du monde.

— Sire, je ne saurais la prendre. Ce serait folle prétention de ma part.

Malgré l'insistance du roi Arthur, Lancelot refuse de tenter l'aventure. Le suzerain se tourne vers messire Gauvain.

— Beau neveu, essayez, je vous prie.

— Sire, répond le chevalier, si Lancelot ne cherche pas à retirer cette épée, c'est en vain que je ferais l'essai. Nous savons bien, tous, qu'il est meilleur chevalier que moi.

— Beau neveu, je vous le demande, par amour pour moi.

— Sachez, Sire, que je connais l'issue de ma tentative. Toutefois, je ne peux refuser de faire ce dont vous m'avez ainsi requis.

Messire Gauvain saisit l'épée. Il tire de toutes ses forces. Il ne peut l'arracher du bloc de marbre. Le roi Arthur demande alors à Perceval d'essayer à son tour. Le chevalier ne réussit pas davantage. Après le refus de Lancelot, l'échec de messire Gauvain et celui de Perceval, il n'est de chevalier qui ose tenter de tirer l'arme de la pierre mystérieuse. Keu, le sénéchal, dit alors :

— Sire, je crois que nous pouvons bien passer à table maintenant. L'aventure ne nous a pas fait défaut.

— Vous dites vrai, Keu, répond le roi Arthur.

3

L'ARRIVÉE DE GALAAD

Les chevaliers, à la suite du roi, abandonnent le marbre flottant et son épée. Ils quittent le bord de la rivière et rejoignent le palais. Sans tarder, ils passent à table.

C'est une grande joie pour le roi Arthur d'avoir tous les chevaliers de la Table ronde près de lui. Toutes les places sont occupées, hormis celle du siège périlleux. Le premier plat est sur le point d'être servi.

Soudain, les portes et les fenêtres se ferment toutes seules. Pourtant, la salle ne s'obscurcit pas. Tous s'étonnent et s'émerveillent de ces mystères.

Le roi Arthur prend la parole :

— Messires, je crois qu'après l'aventure du rivage, d'autres sources de grand étonnement nous sont proposées en ce jour.

Entre alors, sans que l'on sache par où il a pu passer, un vieillard à l'air empreint d'une grande noblesse. Il est suivi de l'adolescent que Lancelot a adoubé la veille. Le jeune homme ne porte ni épée ni écu.

Le vieillard dit :

– Roi Arthur, aujourd'hui est un grand jour. Tu as réuni tous tes chevaliers et je t'amène le chevalier Désiré. Avec lui vont commencer les aventures du Saint-Graal.

– Soyez les bienvenus, vous et votre chevalier, s'empresse de répondre le roi.

Le vieillard conduit sans mot dire le jeune homme tout droit au siège périlleux. Il soulève le drap de soie qui recouvre la place.

Tous peuvent bien lire l'inscription qui dit : « Ici est le siège de Galaad. »

Le chevalier s'assied dans un grand silence que nul n'ose troubler.

Le vieillard salue et quitte la salle sans avoir dit qui il était.

Lorsque tous les chevaliers de la Table ronde voient le nouvel arrivé assis au siège périlleux, ils le regardent avec admiration.

Le roi Arthur dit à messire Gauvain :

— Beau neveu, voici Galaad, le chevalier que nous attendions tous. Il convient de le servir et de l'honorer dignement tant qu'il sera parmi nous. Je doute qu'il y reste longtemps. La grande Quête du Graal commencera certainement très bientôt.

Puis le suzerain se tourne vers Galaad :

— Soyez le bienvenu parmi nous, messire, vous que nous avons tant désiré voir.

Il est fait grand honneur au jeune homme. Il est traité par tous avec grand respect. Tous sont frappés de sa ressemblance avec Lancelot. Nul ne doute que c'est là son fils, quoique personne n'en dise mot.

Le repas achevé, le roi Arthur conduit Galaad au bord de la rivière et il lui montre l'épée plantée dans le marbre. Galaad lit l'inscription.

Le roi dit alors :

— Messire, des chevaliers parmi les plus valeureux de ma maison ont échoué dans cette épreuve. Voulez-vous la tenter à votre tour ?

— Volontiers, Sire. Je suis venu sans épée car je savais que pareille aventure devait m'advenir. Il est hors de doute que je vais réussir.

Galaad tire l'épée. L'arme sort aisément du marbre.

Galaad la ceint et dit :

— Sire, il ne me manque plus qu'un écu.

— Tout porte à croire, messire, répond le roi, que vous en recevrez un d'une façon aussi prodigieuse.

Le roi Arthur s'adresse à tous ses barons :

— Messires, il est clair, depuis tous les événements survenus en ce jour, que la Quête du Graal va commencer prochainement. Il est à craindre que je ne vous revoie jamais tous ainsi que vous êtes maintenant. Je vous propose donc d'organiser un tournoi des plus animés dans la prairie de Camaaloth.

Tous les chevaliers approuvent leur suzerain.

Ils regagnent la cité pour prendre leurs armes. Ils se rassemblent ensuite dans le plus grand pré où luit un beau soleil. La reine Guenièvre et ses demoiselles prennent place. Le cor donne le signal. Les joutes commencent.

Galaad, qui a refusé de porter un écu, brise les lances avec une telle rudesse que chacun admire ses prouesses et s'émerveille qu'elles soient le fait d'un si jeune chevalier.

La reine Guenièvre pense : « S'il n'avait fait merveille en ce tournoi, il n'aurait certes pas été digne de son lignage. »

Les chevaliers de la Table ronde qui portent les

armes contre Galaad sont rapidement abattus. Le jeune chevalier œuvre si bien que seuls demeurent en lice Lancelot et Perceval. Le tournoi se prolonge, mais le roi Arthur l'interrompt. Il craint que les risques pris par les chevaliers soient trop grands.

Le roi Arthur emmène alors Galaad et le promène dans toute la cité de Camaaloth afin que chacun puisse le voir. Tous les habitants l'acclament avec chaleur.

4

LE DÉBUT DE LA QUÊTE

L'heure du dîner venue, les chevaliers reprennent leur place. Ils sont tous assis. Ils entendent alors un grondement de tonnerre tel qu'ils pensent que le château tout entier va s'écrouler. Une grande clarté, plus lumineuse que les rayons du plus fort soleil, illumine la salle d'une étrange lueur. Tous les chevaliers demeurent silencieux.

Entre alors le précieux vase sacré, le Saint-Graal. Il est couvert d'une étoffe de soie blanche. Nul ne peut voir qui le porte.

Une odeur merveilleuse et suave se répand dans toute la pièce. Devant chaque convive apparaissent les mets qu'il aime le plus au monde. Puis le Graal s'en va sans que l'on sache par où il est passé. L'étrange lueur s'estompe et disparaît.

Les chevaliers demeurent longtemps muets d'étonnement.

Enfin, messire Gauvain se lève et dit au roi Arthur :

— Sire, avec votre permission, j'entreprendrai dès demain une longue quête. Nous n'avons pu voir la vraie forme du Graal. Je ne reviendrai à la cour qu'après avoir vu clairement ce que j'ai aperçu ici, à moins que cela me soit impossible ou que des signes m'aient fait comprendre que je ne suis pas digne de poursuivre mon entreprise.

Tous les autres chevaliers de la Table ronde font le même serment que le neveu du roi Arthur.

Pendant la soirée, on annonce dans tout le château que la Quête du Graal est commencée. La reine Guenièvre regrette le départ de messire Gauvain et, plus encore, celui de Lancelot. De nombreuses dames et demoiselles sont dolentes et affligées. Ce sont les épouses ou les amies des chevaliers de la Table ronde et elles craignent qu'il leur arrive malheur, voire qu'ils rencontrent la mort au cours de cette entreprise.

La reine Guenièvre s'approche de Galaad et prend place à côté de lui. Elle lui demande d'où il vient et quel est son lignage. Dans ses réponses, le jeune chevalier ne parle pas de Lancelot. La reine dit alors :

– Que ne dites-vous, messire, un mot de votre père ? C'est le plus vaillant chevalier qui existe et son renom dépasse celui de tous ses compagnons. Vous lui ressemblez tant que nul ne peut ignorer que vous êtes son fils.

– Dame, puisque vous me paraissez si assurée, dites-moi son nom, je vous dirai si c'est celui du chevalier que je tiens pour mon père.

– Vous êtes le fils de Lancelot du Lac, né du roi Ban de Bénoïc et de la reine aux grandes douleurs. Pourquoi le cachez-vous ?

– Dame, si vous savez si bien son nom, il est inutile que je vous le dise. On saura bien que je suis son fils quand le moment en sera venu.

La reine Guenièvre et Galaad continuent de parler ensemble jusqu'à l'heure du coucher. Pour faire honneur à Galaad, le roi Arthur le conduit dans sa chambre et lui offre le lit où il a coutume de dormir lui-même et il s'en va reposer en une autre pièce. Le suzerain ne s'endort pas rapidement. Il songe avec regret au départ de tous ses chevaliers. Il va être séparé de ceux dont la compagnie lui est chère. Il craint que nombreux soient ceux qui ne reviennent pas.

Le lendemain, tous les compagnons de la quête se rassemblent pour prêter serment avec solennité. Le roi Arthur appelle messire Gauvain :

— Beau neveu, c'est vous qui avez donné le départ de cette quête. Prononcez le serment que doivent prêter, après vous, tous ceux qui envisagent de l'entreprendre.

— Sire, répond messire Gauvain, avec votre permission, je n'en ferai rien. Il me semble que c'est à Galaad que revient la tâche de prononcer ce serment le premier. Nous devons le tenir pour notre seigneur, lui qui a pu prendre place au siège périlleux.

Galaad s'approche. Il s'agenouille et dit :

— Je jure de maintenir cette quête aussi longtemps qu'il sera nécessaire. Je ne reviendrai pas à la cour avant d'avoir appris la vérité du Saint-Graal, si tant est que je sois digne de la connaître.

À la suite de Galaad, messire Gauvain, Lancelot, Perceval et Bohor ainsi que tous les autres chevaliers de la Table ronde prononcent ces paroles.

Le déjeuner est ensuite servi. Après le repas, chacun lace son heaume et ceint son épée. Il est clair désormais que nul ne compte s'attarder davantage.

La reine Guenièvre s'est retirée dans sa chambre. Lancelot l'y rejoint.

Quand elle le voit tout armé, elle laisse couler d'amères larmes sur son doux visage.

– Vous êtes prêt à partir, dit-elle tristement au chevalier.

– Dame, dit Lancelot avec humilité, je suis venu vous demander de me donner votre congé.

– Messire, ce n'est ni de bon gré ni de gaieté de cœur que je vous laisse partir. Mais, puisqu'il le faut, je vous confie à la garde de Dieu. Qu'il vous protège en tous lieux et qu'il vous permette de revenir ici sain et sauf.

Lancelot quitte la reine Guenièvre. Il rejoint ses compagnons dans la cour du château. Nombreux sont ceux qui sont déjà à cheval. Le roi Arthur s'étonne de voir Galaad sans bouclier.

– Je pense, messire, que vous avez tort de partir sans écu.

– Sire, répond le chevalier, je crois que je commettrais une faute en acceptant d'en prendre un ici. Je dois attendre que l'aventure m'en procure un comme elle m'a donné l'épée. Vous-même m'en faisiez la remarque hier, au bord de la rivière.

— Je n'en parlerai pas davantage, reprend le roi. Qu'il en soit comme il doit en être.

Le roi Arthur monte à cheval pour escorter les chevaliers. Arrivés dans la forêt, près d'une clairière, tous s'arrêtent. Les chevaliers retirent leur heaume, saluent le roi, et messire Gauvain dit :

— Sire, vous nous avez assez fait compagnie. Vous devez vous en retourner, maintenant. Il ne convient pas que vous demeuriez davantage parmi nous.

Le roi répond d'une voix triste :

— Certes, le retour me sera plus dur que l'aller. C'est à vif regret que je vous quitte.

Le roi Arthur donne l'accolade à tous ses chevaliers et, plus dolent que l'on ne saurait dire, regagne Camaaloth.

Les compagnons se consultent et décident que chacun suivra son propre chemin. Ils laissent au hasard ou à l'aventure le soin de les faire se rencontrer s'ils doivent chevaucher ensemble. Après maints adieux, ils se dispersent dans la forêt, pénétrant aux endroits où elle est épaisse et dépourvue de sentier.

5

L'ÉCU MERVEILLEUX

Après s'être séparé de ses compagnons, Galaad chevauche quatre journées sans rencontrer la moindre aventure.

Le cinquième jour, dans l'après-midi, il parvient à une abbaye. Il frappe à la porte. Les moines, voyant qu'il est chevalier errant, l'accueillent avec grande courtoisie.

L'un d'eux s'occupe de la monture du chevalier tandis qu'un autre le désarme et le conduit dans une grande salle. S'y tiennent déjà messire Yvain et le roi Baudemagu de Gorre. À peine aperçoivent-ils Galaad qu'ils accourent vers lui, les bras tendus et le visage joyeux.

— Messire, nous sommes contents de vous rencontrer, lui disent-ils ensemble.

Le soir, après le dîner, le roi Baudemagu explique à Galaad que cette abbaye renferme un écu merveilleux. Il en est dit que nul, hormis le chevalier auquel il est destiné, ne peut le porter sans qu'il lui arrive rapidement malheur.

Le roi Baudemagu conclut :

— Je comptais tenter l'aventure demain matin, mais votre arrivée me fait bien penser que c'est à vous, messire, que cet écu est destiné.

Le matin venu, le roi Baudemagu demande à un moine où se trouve l'étrange bouclier.

— Il est posé derrière l'autel, répond le moine.

Les trois chevaliers se rendent à la chapelle. Ils y trouvent le plus bel et le plus riche écu qu'ils aient jamais vu. Il est blanc et porte une grande croix vermeille.

Messire Yvain dit :

— Voici le bouclier que nul ne doit porter s'il n'est le meilleur des chevaliers. Je ne suis pas digne de le suspendre à mon cou et je m'en garderai bien.

Le roi Baudemagu dit à Galaad :

— Je pense qu'il vous revient, messire.

Le chevalier répond :

— Vous avez sans doute raison. Toutefois, je veux

vous laisser faire l'essai ainsi que vous en aviez l'intention. Ainsi, nous verrons bien si ce que l'on vous a dit à son sujet est vérité ou non.

— Je voudrais alors, messire, que vous m'attendiez ici pour que je puisse vous raconter le dénouement de cette aventure.

— Je vous attendrai volontiers, en compagnie de messire Yvain, répond Galaad.

Le roi Baudemagu passe l'écu. Il s'éloigne de l'abbaye. Il chevauche plusieurs lieues. Il voit soudain venir, aussi vite que son cheval peut le porter, un chevalier à l'armure toute blanche, la lance pointée vers lui. Le roi Baudemagu fait face. Sa lance vole en éclats contre l'armure du chevalier, tandis qu'il reçoit un coup si rude que les mailles de son haubert se rompent et qu'il est touché à l'épaule gauche. Le roi Baudemagu tombe à terre. Sa blessure est profonde.

Le chevalier s'approche de lui, lui ôte l'écu et dit :

— Quelle folie fut la vôtre d'avoir voulu porter ce bouclier ! Rapportez-le à Galaad. C'est à lui, et à lui seul, que revient l'honneur de le pendre à son cou.

— Je n'en doutais pas. Sachez, messire, que je ferai ce que vous demandez. Me direz-vous qui vous êtes ?

—Pas plus qu'à aucun homme, il ne vous appartient de savoir mon nom.

—Au moins, messire, me direz-vous d'où vient cet écu par lequel il arrive tant de merveilles ?

—Je n'en parlerai qu'à celui qui doit le porter.

—Mais où vous trouvera-t-il ?

—Ici même. J'y serai lors de sa venue.

Le chevalier ne s'attarde pas. Il disparaît rapidement.

Malgré sa blessure qui le fait cruellement souffrir, le roi Baudemagu parvient à regagner l'abbaye. Les moines font diligence pour le soigner. Ils ne peuvent toutefois s'empêcher de lui faire remarquer qu'ils l'avaient bien mis en garde. Quand ils apprennent que l'écu doit revenir à Galaad, ils s'inclinent humblement devant lui. Ils savent que de grandes aventures périlleuses vont être entreprises.

Le lendemain, après s'être fait armer, Galaad suspend le bouclier à son cou et se met en route. Il prend la direction que lui a indiquée le roi Baudemagu. Il rencontre le chevalier blanc à l'endroit même où, la veille, la joute a eu lieu. Les deux chevaliers se saluent. Puis le chevalier à l'armure blanche explique à Galaad :

— Un roi sarrasin, qui avait nom Ewalach, se convertit et prit alors le nom de Mordrain. Il reçut un écu blanc portant une croix. Il vint ensuite en Grande-Bretagne où il délivra l'évêque Joseph qui avait été emprisonné par un mauvais roi breton d'une grande cruauté. À l'issue de la bataille, un homme, qui avait eu le bras coupé lors des combats, fut appelé par l'évêque Joseph qui lui fit toucher le bouclier de Mordrain. Le blessé fut aussitôt guéri, mais la croix disparut du bouclier pour demeurer sur le bras du soldat. Plus tard, quand l'évêque fut sur le point de mourir, il traça sur le bouclier une croix de son propre sang, qu'il perdait abondamment par le nez. Il dit : « Ainsi, vous penserez à moi en voyant cet écu. Tant qu'il durera, cette croix demeurera toujours aussi fraîche et rouge que maintenant. Il ne devra, après vous, être porté que par le chevalier Désiré. Malheur à qui d'autre voudrait s'en armer ! » Vous voyez, messire, conclut le chevalier, que tout s'est accompli selon sa prédiction.

Après un silence, le chevalier blanc poursuit :

— Il faut aussi que vous sachiez ce qu'il advint à Mordrain. Un jour, il voulut voir le Saint-Graal alors qu'il n'en était pas digne. À l'insu de tous, il pénétra dans la pièce où était gardé le précieux vase sacré.

Il s'en approcha. À peine eut-il soulevé le voile qui couvrait le Graal qu'une nuée descendit devant lui et qu'un ange lui perça les deux cuisses d'un coup de lance pour le punir de sa faute. En outre, la nuée aveugla si fort Mordrain qu'il perdit la vue. Il vit encore, quelque part, aveugle et paralytique.

Le chevalier à l'armure blanche se tait.

Il s'évanouit dans l'air sans que Galaad puisse comprendre ce qu'il est devenu.

6

Le château des Demoiselles

Quelques jours plus tard, alors que le temps est beau et clair, que les oiseaux chantent gaiement, Galaad découvre, au cours de sa chevauchée, un fort château, bien situé au cœur d'une belle vallée. La forteresse se dresse au bord d'une large rivière. Le chevalier s'en approche. En chemin, il croise un homme âgé qui le salue. Galaad lui rend aussitôt son salut et lui demande :

— Me direz-vous le nom de ce château ?

— Messire, vous avez devant vous le château des Demoiselles. Il faut que vous sachiez qu'il est maudit. Toute pitié en est absente. Ceux qui y vivent ne connaissent que la dureté. Retournez sur vos pas si vous ne voulez pas subir grande honte.

Galaad ne répond pas. Il vérifie ses armes et

prend la direction du château à bride abattue. Sept chevaliers sortent de la forteresse et viennent au-devant de lui.

— Messire, mettez-vous en garde, nous n'avons que la mort à vous offrir.

— Comment, s'écrie Galaad, vous comptez jouter contre moi tous les sept ensemble !

— Oui, disent-ils, telle est la coutume. Vous devez vous y soumettre.

Galaad tient sa lance baissée. Il laisse ses adversaires approcher. Il frappe le premier si rudement qu'il le désarçonne brutalement. Les autres, d'un même coup, heurtent violemment l'écu de Galaad. Ce dernier ne bouge pas, quoique la force des lances ait arrêté son cheval en pleine course. Toutes les lances sont brisées. Galaad brandit son épée. Commence une grande et farouche mêlée. Elle dure longtemps tant les combattants sont acharnés. Galaad œuvre si vaillamment qu'il fait reculer ses adversaires. Ils sont las et ne peuvent plus guère se défendre. Ils sont impressionnés par ce chevalier qui ne fait montre d'aucune fatigue. Peu après, ils renoncent à la joute et s'enfuient en grande honte.

Galaad poursuit son chemin. Il parvient au pont-levis. Un vieillard chenu lui apporte les clés du château. Galaad les prend et pénètre dans la cité. Il y rencontre tant de jeunes filles qu'il ne pourrait en dire le nombre. Toutes lui disent :

— Soyez le bienvenu, messire, nous avons tellement attendu le jour où nous serions délivrées de ce château douloureux.

Les demoiselles veulent le désarmer. Galaad refuse.

— L'heure n'est pas venue pour moi de songer à me reposer, je ne saurais m'attarder.

— Ah, messire ! supplient les jeunes filles, demeurez, sinon soyez sûr que ceux que vous avez défaits ne tarderont pas à revenir. Vous aurez combattu en vain.

— Que dois-je faire ? demande Galaad.

— Appelez tous les chevaliers et vavasseurs d'alentour qui sont les vassaux de ce château et faites-leur jurer d'abolir la coutume à tout jamais.

Une demoiselle apporte alors un cor d'ivoire aux magnifiques attaches d'or fin. Galaad en sonne si fort que tout le monde l'entend.

Le chevalier demande alors :

— Me direz-vous ce qu'était cette mauvaise coutume ?

— Volontiers, messire. Il y a dix ans arrivèrent les

chevaliers dont vous avez triomphé. Ils demandèrent l'hospitalité. Ils furent aimablement reçus par le duc qui était le seigneur de ce château. Après le dîner, une dispute éclata entre le duc et ses hôtes. Les chevaliers voulaient prendre de force une des filles du duc. Ce dernier fut tué et la jeune fille violentée. Les chevaliers s'emparèrent alors du château et soumirent par la force tout le pays alentour. La fille du duc dit alors : « Vous avez conquis cette forteresse pour une femme, qui vous dit que vous ne la perdrez pas par le fait d'une demoiselle et qu'un seul chevalier ne vous rendra à merci ? » Très irrités de ces propos, les chevaliers décidèrent de retenir toutes les jeunes filles qui passeraient devant le château et de combattre tous ceux qui pourraient se présenter pour les défendre. C'est de là que vient le nom de château des Demoiselles.

Le soir venu, tous les vassaux emplissent la grande salle. La mauvaise coutume établie par les sept chevaliers est solennellement abolie. Tous les vassaux rendent hommage et promettent fidélité à la fille du duc.

Il est fait grand honneur à Galaad.

Le lendemain, la nouvelle de la mort des sept chevaliers parvient au château.

— Qui les a tués ? demande Galaad.

Un écuyer lui répond :

— Lorsqu'ils s'enfuirent après le combat d'hier, ils rencontrèrent, au sommet de la colline, messire Gauvain, son frère Gahériet et messire Yvain. Voyant qu'il s'agissait de chevaliers errants, les sept fuyards les attaquèrent pour se venger de la défaite que vous leur aviez infligée. Dès le premier choc, trois d'entre eux périrent sous les lances de vos compagnons. Les autres ne résistèrent pas longtemps et moururent sous les coups d'épée.

Galaad s'émerveille de l'aventure. La libération du château est assurée pour toujours. Le chevalier demande ses armes et s'en va. Tous les habitants l'escortent jusqu'aux portes de la cité en l'acclamant.

7

Perceval chez la femme qui vit hors du monde

Après avoir quitté le château des Demoiselles, Galaad chevauche en direction de la Gaste Forêt. En chemin, il rencontre Lancelot et Perceval qui se sont retrouvés et qui vont de compagnie. Les deux chevaliers n'ont jamais vu l'écu merveilleux porté par Galaad. Aussi ne reconnaissent-ils pas leur jeune compagnon. Lancelot l'attaque et lui brise sa lance sur la poitrine. Galaad riposte et frappe si violemment Lancelot qu'il le désarçonne. Toutefois le chevalier tombe sans se faire mal.

Sa lance étant brisée, Galaad tire son épée et en frappe durement le heaume de Perceval. Celui-ci ne peut tenir longtemps en selle. Il tombe à terre.

Une femme qui vivait là, hors du monde, comme

un ermite, a assisté à la joute. Elle crie, de toutes ses forces, à Galaad qui s'éloigne :

– Dieu vous protège, messire. Il est sûr que si ces chevaliers vous avaient reconnu, ils ne s'en seraient pas pris à vous.

Lancelot et Perceval se relèvent. Ils enfourchent leurs destriers et piquent des deux pour rattraper ce chevalier. Ils se rendent vite compte qu'il leur sera impossible de le rejoindre.

Ils ne savent que faire.

Malgré la nuit qui approche, Lancelot décide de continuer sa recherche.

Perceval lui déclare :

– Je préfère attendre demain, je pense avoir une meilleure chance de retrouver ce chevalier au grand jour. Je vais retourner auprès de cette femme que nous avons vue. Elle paraissait connaître celui qui portait cet écu blanc marqué d'une croix.

Perceval arrive chez la femme qui vit hors du monde. Elle se prépare pour la nuit.

– Qui êtes-vous ? demande-t-elle.

– Je suis Perceval le Gallois. J'appartiens à la maison du roi Arthur et je suis chevalier de la Table ronde.

La femme appelle ses gens. Elle leur ordonne

d'ouvrir au chevalier et de le servir du mieux qu'ils peuvent.

Le lendemain matin, Perceval demande :

— Dame, donnez-moi, je vous prie, des nouvelles du chevalier à l'écu blanc marqué d'une croix qui passa hier. Vous sembliez le connaître. Il me tarde de savoir qui il est.

— Pourquoi tenez-vous tant à le savoir, messire ?

— Parce qu'il m'a combattu avec une telle rudesse et qu'il m'a si mal traité que je dois chercher à prendre ma revanche.

— Gardez-vous-en bien, Perceval. Ce serait fort mal agir de votre part que de vouloir le combattre. Écoutez-moi bien : il faut que vous sachiez que trois chevaliers seulement acquerront toute la gloire de la Quête du Graal, que tous vos compagnons et vous-même avez entreprise. L'un sera le chevalier à l'écu blanc que vous cherchez. Vous serez l'autre et le troisième sera Bohor, le cousin de Lancelot. Ce serait grand dommage pour vous de mourir avant d'avoir acquis cette gloire. Or vous périrez, soyez-en sûr, si vous joutez contre ce chevalier. Il n'est autre que Galaad, le chevalier Désiré.

— Je n'en ferai donc rien, dame. Mais qui êtes-vous pour si bien me connaître ?

— Je suis ta tante, Perceval. Tu m'as connue autrefois. Je me suis retirée ici, après ton départ pour la cour du roi Arthur et la mort de ta malheureuse mère qui fut si dolente de cette séparation.

Perceval pleure de pitié au souvenir de sa mère. Il la revoit, gisant, pâmée sur le sol, le jour de son départ. Peu après, il demande :

— Savez-vous où je pourrais retrouver Galaad ? Je désirerais si fort l'avoir pour compagnon dans ma quête.

— Je ne saurais vous dire où il est. Vous le retrouverez, le moment venu, et vous serez avec lui au château de Corbenyc où vit Mordrain.

— Merci, dame. J'ai tant à faire qu'il me faut prendre congé de vous dès maintenant.

Perceval chevauche tout le jour dans la forêt. Il ne rencontre personne. Le soir, il entend sonner une cloche. Il prend cette direction. Il arrive à un monastère clos de murs et entouré de fossés profonds. Il appelle, on lui ouvre et on lui offre l'hospitalité pour la nuit.

8

Perceval désemparé

Perceval parvient dans une vallée. Il rencontre vingt hommes armés qui portent, dans une bière, le corps d'un chevalier tué récemment. Perceval se présente. Lorsque les chevaliers apprennent qu'il est de la maison du roi Arthur, ils se jettent tous sur lui avec une hargne farouche. Perceval se défend de son mieux. Il jette le premier assaillant à terre d'un seul coup. Plusieurs de ses adversaires frappent rudement son écu. D'autres tuent son destrier. Brusquement désarçonné, Perceval se relève avec grand courage. Il continue de faire front.

Malgré sa vaillance, Perceval est sur le point de céder sous le nombre. Déjà ses ennemis sont parvenus à lui arracher son heaume. Il pense qu'il va périr.

Un chevalier passe alors. Perceval reconnaît son écu blanc marqué d'une croix vermeille.

À peine Galaad a-t-il vu ce chevalier seul, à pied, aux prises avec des adversaires qui se préparent à lui donner le coup de grâce, qu'il fonce sur les agresseurs de toute la vitesse de son destrier.

D'un coup de lance, il précipite à terre le premier qui se trouve sur son chemin. Il brandit son épée, frappe de droite et de gauche avec tant d'habileté qu'il fait voler tous les autres hors de leur monture. Les coups sont si violents et si rapides que nul n'a plus envie de l'affronter. Tous s'enfuient, hormis ceux qui ont été blessés. Grâce à cette intervention, Perceval est sauvé.

Après avoir ainsi dispersé les assaillants et voyant Perceval hors de danger, le chevalier à l'écu blanc marqué d'une croix vermeille ne s'attarde pas. Il s'en va au plus profond du bois.

Perceval lui crie :

— Messire, attendez-moi. Laissez-moi vous parler et vous remercier comme vous le méritez.

Le cheval de Perceval est mort. Le chevalier tente de rejoindre à pied celui qui l'a secouru. Il rencontre bientôt un jeune homme chevauchant une monture forte et rapide et menant un beau destrier noir.

—Bel ami, dit Perceval, je te salue. Peux-tu m'accorder un bienfait ? Prête-moi ce destrier jusqu'à ce que j'aie rejoint un chevalier qui a disparu dans cette direction.

—Messire, je n'en ferai rien. Ce destrier appartient à un homme qui me maudirait si je ne le lui rendais pas.

—Bel ami, je t'en prie, le temps presse. Pour rien au monde, je ne voudrais te prendre cette monture par force, mais tu ne peux imaginer la douleur qui sera la mienne si je perds ce chevalier.

—Messire, je vous l'ai dit, tant que j'aurai la garde de ce destrier, vous ne l'aurez de mon gré.

Perceval est fort triste. Il a grande envie de mourir. Il défait son heaume et tend son épée au jeune homme.

—Alors, je t'en prie, lui dit-il, tue-moi. Je ne saurais faire cesser ma douleur autrement qu'en voyant finir ma vie.

—Je ne mettrai pas fin à vos jours. Vous ne méritez aucunement la mort.

Le jeune homme s'en va, laissant Perceval tout affligé.

Tandis qu'il est ainsi à se lamenter, Perceval voit passer un chevalier. Celui-ci est monté sur le destrier que menait le jeune homme qui l'a quitté quelques instants plus tôt. Peu après, ce dernier survient.

— Messire, s'écrie-t-il, avez-vous vu passer un chevalier monté sur le cheval que vous me demandiez ?

— Oui, en vérité, répond Perceval.

— Hélas, il me l'a pris par force. Mon seigneur va me châtier sévèrement.

— Que puis-je faire pour toi ? Je suis à pied.

— Messire, prenez mon cheval. Si vous pouvez reprendre l'autre et me le ramener, je vous ferai don du mien.

Perceval accepte. Il relace son heaume, prend son écu, monte en selle et suit les traces du chevalier. Il sort du bois et arrive dans une prairie. Il aperçoit le chevalier. Il se lance à sa poursuite. Dès qu'il est assez près de lui pour être entendu, il crie :

— Qui que vous soyez, faites demi-tour et allez rendre ce destrier à qui vous l'avez pris par force.

— De quoi te mêles-tu ? répond l'autre, en abaissant sa lance.

Perceval est prêt pour la joute.

Le chevalier s'élance de toute la force de son destrier et frappe la monture de Perceval avec une telle force qu'il la perce de part en part. Le cheval s'effondre. Perceval tombe à terre, tandis que son adversaire prend la fuite. Perceval lui crie :

— Lâche ! couard ! Reviens, je suis prêt à combattre même si tu restes à cheval alors que je suis à pied.

L'autre n'a cure des insultes qui lui sont adressées. Il s'éloigne rapidement.

Perceval jette son épée et son écu, défait son heaume et se lamente :

— Je suis le plus infortuné des chevaliers.

Il demeure ainsi sans rencontrer personne pour le réconforter. À l'approche de la nuit, il est si las qu'il s'endort.

9

Perceval dans l'île inconnue

Perceval s'éveille au milieu de la nuit. Il est très surpris, une femme se tient devant lui.

Elle lui demande d'un ton effrayant :

– Perceval, que fais-tu ici ?

Le chevalier répond :

– Je ne fais ni bien ni mal. Il est sûr que si j'avais un cheval, je ne m'attarderais pas.

– Si tu acceptais de te soumettre à ma volonté, quand je te le demanderai, je te donnerais une belle monture qui te permettrait d'aller où tu le souhaites.

Perceval est joyeux d'entendre une telle offre qu'il accepte sans même demander à la femme qui elle est.

– Je promets de faire votre volonté.

– Est-ce là promesse de loyal chevalier ?

— Sans nul doute.

La femme quitte le chevalier quelques instants. Elle revient, menant un superbe cheval, grand et noir.

En le voyant, Perceval est tout impressionné. Pourtant, il fait montre d'une audace assez forte pour monter en selle. Il prend sa lance et son écu.

— Vous vous en allez, Perceval, dit la femme. Souvenez-vous que vous me devez un don.

Perceval s'en va à bride abattue dans la forêt où la lune est haute et claire. Mais, bien vite, en dépit de ses efforts, le chevalier ne maîtrise plus sa monture. Elle ne lui obéit pas et l'emporte à vive allure en une contrée éloignée et inconnue.

Perceval arrive rapidement dans une vallée où coule une rivière large, rapide et profonde. Perceval ne voit ni pont ni gué. Il craint de passer ce cours d'eau en pleine nuit. Il lève la main et se signe. Aussitôt, le cheval le jette à terre et se précipite dans la rivière tandis que celle-ci paraît s'enflammer comme un grand brasier. Toute la nuit est illuminée.

Perceval comprend alors que c'est le Malin qui l'a emporté là pour le faire périr, après l'avoir trompé. Le chevalier s'éloigne rapidement de la rive brûlante.

Quand le soleil se lève enfin, Perceval est fort inquiet. Il ne sait ni où il est ni comment il a pu y venir. Il se rend compte qu'il est au pied d'une haute montagne sauvage, entourée d'une immense mer infranchissable. Le chevalier ne distingue aucune terre à l'horizon, aussi loin qu'il regarde. Perceval se demande quelle est cette île. Il ne voit ni château ni maison. Il pense qu'elle est inhabitée.

Pourtant le chevalier n'est pas seul. Il se trouve vite entouré de bêtes sauvages. Des ours, des lions, des léopards et des serpents volants l'environnent. Perceval cherche un abri pour s'en protéger. Il aperçoit un rocher très élevé. Tout armé, il en prend la direction. Il voit alors un énorme serpent qui emporte un lionceau par la peau du cou. Le reptile est poursuivi par un lion rugissant. Perceval comprend que l'animal s'afflige de la capture de son petit.

Le lion rattrape le serpent et le combat s'engage. Le chevalier décide de venir en aide au lion. Il tire son épée et se protège le visage de son écu car le serpent crache des flammes. Perceval craint que ce feu soit empli de venin mortel. Avec difficulté, Perceval réussit à enfoncer plusieurs fois son épée dans la tête du monstre qui finit par tomber mort.

Le lion ne paraît pas vouloir attaquer le chevalier. Il vient vers lui la tête baissée, comme pour le remercier de l'avoir aidé à sauver son petit. Voyant que l'animal ne montre aucune hostilité, Perceval remet son épée au fourreau et ôte son heaume. Le lion lui témoigne toute sa joie. Perceval n'hésite pas à le caresser.

Le soir vient. Le lion prend son lionceau par la peau du cou et regagne son repaire. Perceval passe la nuit tout seul sur son rocher. Il s'inquiète grandement car, de tout le jour, il n'a vu de navire sur les flots.

Au réveil, Perceval regarde de nouveau longuement la mer de tous côtés. Il voit enfin venir un vaisseau. Le vent le pousse dans la direction de l'île. Perceval prend ses armes et descend au pied de la montagne.

Le navire est tout drapé de soie blanche. Perceval pense rencontrer nombre de passagers, mais il ne trouve à bord qu'un homme vêtu de blanc. Le chevalier s'approche et salue.

— Qui êtes-vous, bel ami ? demande le voyageur.

— Je suis Perceval le Gallois, de la maison du roi Arthur, le roi des deux Bretagnes.

— Par quelle aventure êtes-vous venu ici ?

— Cela, messire, je ne le sais, répond Perceval.

— Et que voulez-vous ?

— Je voudrais quitter cette île au plus vite et reprendre la quête du Graal avec tous mes compagnons de la Table ronde.

— Vous quitterez l'île quand le moment en sera venu. Ne vous souciez pas de cela, messire, répond l'homme vêtu de blanc. Méfiez-vous du Malin qui déjà a cherché à vous séduire.

Perceval est appuyé sur le rebord du navire, à côté de l'homme vêtu de blanc. Ils conversent tous deux longuement. Le chevalier écoute toutes les recommandations que lui fait son visiteur avisé. Ce dernier doit partir. Perceval retourne sur le rivage. Le vent emporte le vaisseau si vite qu'en peu d'instants le chevalier le perd de vue.

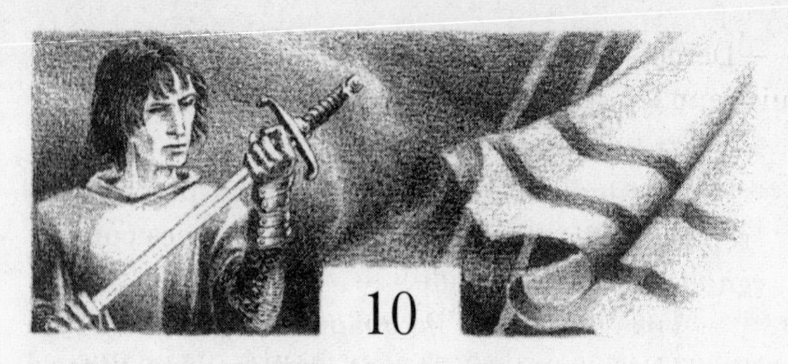

10

PERCEVAL ABUSÉ

Perceval est de nouveau seul sur son île. Au début de l'après-midi, un autre vaisseau apparaît à l'horizon. Il fend les flots comme si les vents les plus puissants du monde le poussaient. Il est précédé d'un tourbillon qui agite violemment la surface de la mer. L'eau rejaillit si haut qu'elle dissimule, par instants, l'embarcation.

Le navire approche du rivage. Perceval voit alors qu'il est tendu de drap noir. Sur le pont se tient une demoiselle d'une grande beauté. Elle dit :

— Perceval, que faites-vous ici ? Comment êtes-vous parvenu sur cette île montagneuse que vous ne pourrez quitter que par aventure ?

Le chevalier est tout étonné d'être appelé par son nom. Il répond :

— Demoiselle, en vérité, je ne sais comment je suis venu ici. Mais qui vous a appris mon nom ?

— Je viens de la Gaste Forêt, dit la demoiselle pour toute réponse.

Puis elle poursuit :

— Vous périrez dans cette île si l'on ne vous en retire. Mais comme nul n'y vient qui puisse vous secourir, si vous ne désirez pas y mourir, il faut que vous fassiez avec moi un pacte qui vous sauvera. En effet, je suis seule à pouvoir vous emmener hors d'ici.

— Demoiselle, répond Perceval, je ne suis pas si inquiet. Je sais, par un homme sage et avisé tout vêtu de blanc qui est venu ce matin, que je quitterai l'île quand l'heure en sera venue. Il est vrai qu'il ne m'en a pas précisé le moyen.

— Et vous avez cru cet homme, infortuné que vous êtes ! Il n'est qu'un vil enchanteur qui ne dit mot sans mentir. Vous voyez bien qu'il ne vous a rien apporté à manger et qu'il vous a laissé sans secours. Si vous persistez à le croire, vous êtes perdu. Vous mourrez de faim et votre corps sera dévoré par les bêtes féroces qui peuplent ce lieu.

— Pourquoi mettez-vous tant de zèle à me secourir ? demande le chevalier.

— Je ne suis qu'une pauvre demoiselle déshéritée. On m'a volée par trahison et félonie. Je connais votre valeur. Je suis venue vous demander de m'aider contre ceux qui m'ont dépouillée. Vous me devez assistance puisque vous avez juré de secourir toute demoiselle en détresse, quand vous êtes devenu chevalier de la Table ronde.

La demoiselle raconte son histoire à Perceval. Le chevalier l'écoute avec attention et la croit.

L'heure du dîner approche. Sur un ordre de la demoiselle, deux soldats quittent le navire dont ils sortent une superbe tente. Ils l'installent sur le rivage. La demoiselle y fait servir un magnifique repas. Perceval, qui a grand-faim, goûte en abondance des mets délicieux tout en buvant les vins les plus délectables.

La demoiselle lui paraît encore plus belle. Il se laisse aller à lui dire de tendres paroles. La demoiselle voit que le moment est propice pour lui demander :

— Perceval, me promettez-vous d'être à moi désormais et de faire tous mes commandements ?

— Oui, répond le chevalier, je ferai tout ce qu'il vous plaira.

En disant ces mots, Perceval voit son épée à terre, près de lui. Il tend le bras pour la relever. En faisant ce geste, il remarque la croix vermeille qui est gravée dans la garde. Il se signe à cette vue.

Au même instant, un grand souffle renverse la tente. Un épais nuage de fumée noire enveloppe le chevalier et l'aveugle. Une odeur pestilentielle se répand.

Quand Perceval rouvre les yeux, il ne voit plus trace de rien. Il se tourne vers le rivage.

Le navire a pris la mer et file à grande vitesse en pleine tempête. Perceval se lamente :

– J'ai échappé à un immense péril, j'ai été abusé par une créature diabolique.

11

Perceval réconforté

La nuit est tombée depuis longtemps maintenant. Perceval demeure sur le rivage. Il maudit le navire et la demoiselle qui ont disparu dans les flots tourmentés.

La tristesse du chevalier est profonde. « Je n'ai pas su me méfier, pense-t-il avec douleur. J'aurais bien dû tirer meilleur profit des recommandations de cet homme vêtu de blanc. Il était si sage et si avisé. »

Enfin, à une heure avancée, Perceval trouve le sommeil.

À l'aube, lorsque le chevalier s'éveille, la mer est calmée. Perceval est encore tout troublé par la scène de la veille. Il voit venir de nouveau le vaisseau drapé de soie blanche. Il reconnaît l'homme avisé qui l'avait visité le matin précédent. Perceval s'empresse de lui souhaiter la bienvenue.

Il dit :

– Il m'est bien agréable de vous revoir, messire.

– Comment te portes-tu, depuis hier ?

– Assez mal. Il m'est arrivé une bien pénible aventure. J'ai failli, malgré moi, être entraîné dans un mauvais chemin par une envoyée du Malin. Elle avait pris la forme trompeuse d'une demoiselle, la plus douce qui soit, et elle était bien près de m'ensorceler avec de perfides paroles.

Et Perceval raconte la visite qu'il a reçue et tout ce qui est advenu.

À la fin, le visiteur s'écrie :

– Ah ! Perceval ! tu conserveras toujours la même candeur. En t'invitant à te restaurer et à te reposer, elle voulait que tu prisses goût aux gourmandises et aux plaisirs terrestres pour te détourner de ta quête. Il s'en est fallu de peu que tu ne tombes dans le piège. Ta naïveté a failli te coûter cher. En as-tu bien pris conscience maintenant ?

– Certes oui, grâce à vous, messire. Je ne saurais assez vous remercier de m'avoir aidé à voir clair.

– N'aie plus d'inquiétude, maintenant. Tu resteras dans le droit chemin.

À peine a-t-il prononcé ces mots que l'homme tout vêtu de blanc disparaît sans que le chevalier puisse comprendre comment.

Perceval est encore tout émerveillé de cette disparition qu'une voix mystérieuse s'élève et dit :

— Perceval, tu as triomphé. Ton cœur est pur, tu as écouté la bonne parole. Tu es sauvé. Entre dans le vaisseau que t'a abandonné celui qui te fut envoyé et laisse-toi aller où te conduira l'aventure. Ne t'effraie de rien, en quelque lieu que tu ailles. Dieu te guidera. Bientôt te rejoindront Bohor et Galaad, tes compagnons que ton cœur désire tant retrouver. Tous trois, vous êtes promis à haute aventure.

Perceval a grande joie d'entendre ces paroles. Il prend ses armes et monte dans le navire sans s'attarder. Le vaisseau prend rapidement la mer et s'éloigne de l'île montagneuse que le chevalier quitte sans regret.

12

LANCELOT CONFIE SON SECRET

Après s'être séparé de Perceval, Lancelot a chevauché toute la soirée à travers la forêt. Il n'a pu retrouver le chevalier à l'écu blanc marqué d'une croix vermeille.

Il parvient à un carrefour. Il aperçoit, au bout d'un des sentiers, une chapelle très ancienne. Il pense y trouver quelqu'un. Arrivé près de l'édifice, il met pied à terre, attache son cheval à un chêne, ôte son écu et s'approche. La chapelle est fort délabrée. Une grille de fer empêche le chevalier d'entrer, quoiqu'il en ait grande envie. Il est surpris de voir, à l'intérieur, un autel richement décoré et un grand candélabre portant six cierges allumés qui jettent une grande clarté.

Lancelot examine de nouveau la grille, mais il

voit bien qu'il ne pourra pas passer. La nuit est tombée. Le chevalier retourne près de sa monture, délace son heaume, se couche à même le sol et ne tarde pas à s'endormir.

À son réveil, alors que le soleil est à peine levé, Lancelot voit venir, sur une litière portée par deux palefrois, un chevalier qui gémit douloureusement. Ses plaintes sont pitoyables. Lancelot demeure immobile et silencieux comme un homme assoupi.

Sortent alors de la chapelle, sans être portés par personne, le grand candélabre et une table d'argent. Sur cette dernière est posé le précieux vase sacré que Lancelot a vu jadis chez le roi Pellès et, plus récemment, à Camaaloth, le jour où fut décidé le départ de la quête.

Le chevalier malade joint les mains et dit :

– Seigneur, que de ce Saint-Graal vienne le soulagement de tous les maux qui me tourmentent.

De sa litière, le chevalier se hisse jusqu'à la table d'argent et la touche des yeux. Aussitôt, il ne sent plus son mal et s'écrie :

– Je suis guéri !

Le vase sacré demeure un instant immobile, puis il retourne à la chapelle, suivi du grand candélabre, sans que Lancelot sache davantage comment ils sont portés.

Le chevalier se lève de sa litière. Un écuyer s'approche avec une belle armure qu'il remet au chevalier. Celui-ci la prend et s'en revêt. L'écuyer lui donne alors le heaume de Lancelot en disant :

— Ce chevalier est bien malheureux d'avoir dormi au lieu d'assister à une si belle et si merveilleuse aventure.

Quand le chevalier est armé, il monte sur le cheval de Lancelot. Il jure, la main tendue vers la chapelle, qu'il ne cessera pas d'errer avant d'avoir compris d'où vient que le Graal se manifeste en tant de lieux du royaume de Logres. Puis il s'en va, suivi de l'écuyer.

Lancelot est tout à fait réveillé. Il se lève. Il se rend à la chapelle. Il reconnaît le candélabre mais ne voit pas le vase sacré. Il se demande s'il n'a pas rêvé. Il se rend vite compte qu'il n'en est rien lorsqu'il se voit démuni de son heaume et privé de son cheval. Il se lamente sur son infortune. Il entend alors une voix qui lui dit :

— Lancelot, comment oses-tu demeurer dans un endroit où est apparu le Saint-Graal ? Tout est infecté de ta présence. Tu es plus dur que la pierre, plus amer que le bois et plus sec que le figuier. Va-t'en d'ici.

Le cœur bien dolent, Lancelot s'éloigne à pied. Il parvient à un ermitage. Il appelle l'ermite et lui demande :

— Conseillez-moi, je vous prie, messire, je suis en grand désarroi.

— Dites-moi d'abord qui vous êtes, messire.

Lancelot révèle son nom et qu'il est chevalier de la Table ronde.

L'ermite s'étonne :

— Vous, Lancelot du Lac, fils du roi Ban de Bénoïc, vous dont on dit le plus grand bien, comment pouvez-vous connaître pareille douleur ?

Lancelot raconte ce qui s'est passé à la chapelle délabrée et il conclut :

— J'ai vu le Graal comme dans un songe. Je regrette amèrement mon immobilité pendant son apparition. Je n'en saurai jamais la vérité.

L'ermite demande alors :

— N'avez-vous rien à vous reprocher, messire ?

Lancelot réfléchit. Il n'a confié à personne, jusqu'à présent, son amour pour la reine Guenièvre. Il soupire profondément, incapable de parler.

L'ermite l'exhorte si bien à tout lui dire, qu'à la fin, le chevalier consent à révéler son secret.

— Ma faute, messire, est d'avoir aimé une dame toute ma vie. Cette dame est la reine Guenièvre, l'épouse du roi Arthur, le roi des deux Bretagnes, mon suzerain. Elle m'a comblé d'or et d'argent. C'est grâce à ses dons que j'ai pu être généreux envers les pauvres. C'est pour l'amour d'elle que j'ai accompli toutes les prouesses qui m'ont valu ma renommée. Voilà de quoi je suis coupable.

— Votre faute est grande, en effet, répond l'ermite. Vous avez fondé votre gloire sur le mal. Vous êtes comme quelqu'un qui voudrait élever une tour sur des fondations mal assurées.

— Mais, me direz-vous, pourquoi la voix m'a dit que j'étais plus dur que la pierre, plus amer que le bois et plus sec que le figuier ?

— En effet, ce n'est guère difficile à comprendre. La voix vous a qualifié de plus dur que la pierre parce que la pierre est dure de nature, elle ne peut être amollie ni par le feu ni par l'eau. Toutefois du roc peut naître la source bienfaisante. Si cette douceur est absente, sa place est prise par l'amertume. Elle est aussi grande en vous que devrait l'être la douceur. C'est pourquoi vous êtes pareil au bois mort, en voie de pourriture. Enfin, quand le Graal vous est apparu, vous étiez vil, dépourvu de nobles pensées, aussi dénudé que peut l'être un arbre qui ne porterait ni fruits ni feuilles. Tel est le sens de ces paroles mystérieuses.

— Je regrette mes erreurs, messire, répond Lancelot, après un silence. Je promets désormais de renoncer à mon amour pour la reine Guenièvre.

Le chevalier achève de dire ces mots avec des sanglots dans la voix.

Il ne peut s'empêcher de penser aux doux moments passés en sa compagnie.

L'ermite retient Lancelot près de lui quelque temps. Il l'exhorte au repentir et à tenir sa résolution. Lancelot promet de faire le bien. Un jour, l'ermite donne un heaume et un cheval au chevalier et il le laisse partir.

13

Lancelot au tournoi du Bien et du Mal

Lancelot chevauche tant qu'il parvient dans une grande clairière. Il y voit un fort beau château, entouré de murs solides et de fossés profonds. Dans une vaste prairie qui s'étend au pied de la forteresse, un grand nombre de tentes, de toutes les couleurs, sont dressées.

Un peu plus loin, une centaine de chevaliers se livrent à un magnifique tournoi. Les uns portent des armes blanches, les autres ont des armures toutes noires. Les premiers se tiennent du côté de la forêt, les autres devant le château. Nombreux sont ceux qui ont déjà été abattus ou mis hors de combat.

Lancelot regarde la joute. Il s'aperçoit que, quoiqu'ils soient plus nombreux, ceux du château sont dominés par leurs adversaires et leur cèdent du terrain. N'écoutant que son courage, Lancelot se lance à la rescousse des plus faibles.

Il se range du côté des chevaliers noirs. Il baisse sa lance, pique des deux et, d'un coup bien frappé, jette à terre le premier adversaire qu'il voit. Le choc a été violent. La lance du chevalier est brisée. Il parvient toutefois à désarçonner un second combattant qui se trouve sur son passage. Ensuite, il tire l'épée et donne des coups farouches à droite et à gauche. Il fait merveille. Tous les assistants lui accordent déjà le prix du tournoi.

Mais ses adversaires se révèlent d'une ardeur stupéfiante et d'une endurance peu commune. Bien qu'il les frappe avec violence, ils semblent ne plus ressentir ses coups. Lancelot n'en abat plus aucun. Loin de perdre du terrain, les chevaliers blancs continuent d'en conquérir. Lancelot connaît une étrange fatigue. Il est las au point de ne plus supporter le poids de ses armes.

Les chevaliers blancs finissent par s'emparer de lui. Ils le conduisent dans la forêt. Privés de son aide, les chevaliers noirs ne tardent pas à être vaincus. Les chevaliers blancs libèrent Lancelot et s'en vont en lui ordonnant de prendre une autre direction qu'eux.

En chemin, triste et solitaire, Lancelot pense qu'il n'a jamais été réduit à un si misérable état. C'est la première fois qu'il participe à un tournoi sans en remporter l'honneur et la gloire. Déjà sa vue lui a fait défaut lorsqu'il rencontra le Graal, son corps, maintenant, perd sa force. Il doute de lui-même.

Le chevalier va ainsi tout dolent jusqu'à la tombée de la nuit qui le surprend, au cœur d'une profonde vallée. Lancelot desselle son cheval, délace son heaume, ôte son haubert et s'endort, couché sur l'herbe, au pied d'un grand peuplier.

Dans son sommeil, Lancelot aperçoit un homme à l'air fort sage et avisé. Cet homme lui dit :

— Lancelot, Lancelot, qu'as-tu fait ? Pourquoi as-tu changé de sentiment et d'attitude à l'égard de ton ennemi ? Si tu n'y prends garde, il te précipitera, malgré toi, au fond d'un puits dont nul ne revient.

Lancelot s'éveille alors qu'il fait grand jour. Il est tout troublé par son rêve. Il ne sait que penser. Il songe à ce qu'il a fait la veille et ne voit pas en quoi il a mal agi en venant au secours des chevaliers noirs qui étaient en difficulté.

Il se lève, prend ses armes et monte en selle. Il est

sur le point de s'éloigner quand il aperçoit une chapelle. Il s'y rend.

Il y trouve une femme âgée. Elle vit là en ermite.

Le chevalier la salue et lui dit :

— Dame, j'ai besoin de vos conseils.

— Qui êtes-vous ? Que faites-vous et que puis-je pour vous, messire ?

Lancelot répond à toutes les questions de la vieille femme. Il lui conte ensuite l'aventure du tournoi et son étrange songe.

— Ah, Lancelot ! reprend la femme, qu'avez-vous fait ! Le tournoi opposait ceux qui avaient le cœur pur et ceux qui l'avaient tout souillé. Les uns avaient choisi des armes blanches et les autres une armure noire. Chacun était ainsi vêtu à l'image de lui-même. Voyez de quel côté vous vous êtes rangé ! Heureusement, malgré votre aide, le mal n'a pu triompher. Et vous n'avez pas péri parce que vous n'aviez pas conscience que vous le souteniez. Celui que vous avez vu en rêve, cette nuit, voulait vous rappeler les promesses que vous avez faites à l'ermite chez qui vous avez séjourné. Je vous ai expliqué la signification de la joute et celle du songe afin que vous ne quittiez plus la bonne voie, fût-ce par amour de la gloire.

— Grand merci, dame, répond Lancelot. Vous m'avez bien éclairé. Je retiendrai votre leçon et, désormais, je réfléchirai avant de suivre mon impulsion première.

Lancelot quitte la femme âgée. Sa chevauchée le conduit vers une immense forêt. Il la traverse sans s'attarder. Il parvient au bord d'une rivière. À sa grande surprise, il voit sortir de l'eau un chevalier qui porte une armure toute noire. Il est monté sur un destrier de la même couleur. Sans mot dire, avant que Lancelot ait pu esquisser le moindre geste de défense, le chevalier inconnu frappe sa monture et la tue du premier coup. Puis il disparaît aussi subitement qu'il était apparu.

Lancelot demeure tout étonné. Il se dit en lui-même :

« Encore un événement incompréhensible ! »

Il se trouve à pied, au bord de la rivière infranchissable tant l'eau est noire et profonde. Derrière lui, la forêt qu'il vient de traverser paraît impénétrable sans cheval. Il est fort tard.

La nuit ne tarde pas à tomber. Le chevalier se demande comment il pourra se tirer d'affaire. Pourtant, il ne perd pas espoir. Il décide d'attendre le lendemain. Il se couche à même le sol et s'endort.

Dans son sommeil, Lancelot entend une voix. Elle lui dit :

— Lancelot, tu as bien fait d'avoir confiance. Maintenant, écoute et retiens ces paroles : dès le lever du jour, prends tes armes. Longe la rivière en direction de la mer. Ta marche sera longue et fatigante, mais tu devras la poursuivre sans relâche. Ne t'arrête que la nuit. Quand tu seras parvenu au bord des flots marins, attends sur le rivage en guettant l'horizon. Tu monteras à bord du premier vaisseau qui t'apparaîtra.

Dès que l'obscurité diminue, Lancelot se lève, prend ses armes et, bien décidé à suivre les ordres donnés par la voix qu'il a entendue pendant son sommeil, se met en route avec courage.

14

La mort de messire Yvain

Après s'être séparé de ses compagnons, messire Gauvain chevaucha longuement sans qu'il lui advienne la moindre aventure intéressante.

Le neveu du roi Arthur en est assez dépité. Un jour, il rencontre Hector des Mares. Les deux chevaliers ont grande joie de se retrouver. Ils se plaignent toutefois, l'un à l'autre, de n'avoir aucun exploit à conter.

Hector des Mares dit :

– J'ai rencontré, en chemin, de nombreux autres compagnons. Ils sont tout aussi déçus que nous.

Messire Gauvain demande :

– Savez-vous quelque chose de Lancelot, Galaad, Bohor et Perceval ?

– Non pas, en vérité. Tous quatre semblent

perdus. Nul parmi tous nos compagnons que j'ai rencontrés ne les a vus.

— Que Dieu les garde, reprend messire Gauvain. S'ils échouent, je crois bien que nul ne réussira, car ce sont les meilleurs chevaliers de la quête.

Hector des Mares et messire Gauvain décident de continuer leur chevauchée ensemble. Bientôt, ils rencontrent, dans une vallée, un chevalier tout armé. Du plus loin qu'il les voit, il leur crie :

— En garde, messires, êtes-vous prêts à jouter ?

— Par Dieu, dit messire Gauvain, c'est la première bonne occasion de jouter qui m'est donnée depuis mon départ de Camaaloth. Je ne la laisserai pas passer. Si ce chevalier désire le combat, il l'aura sans nul doute.

— Laissez-moi combattre, messire, demande Hector des Mares au neveu du roi Arthur, j'en ai si grande envie.

— Je n'en ferai rien, messire. J'ai exprimé mon souhait le premier. Toutefois, si ce chevalier triomphe, vous pourrez bien lutter contre lui et venger ma honte. J'espère bien cependant ne pas la connaître.

Les deux chevaliers s'élancent de toute la vitesse de leur destrier. Les lances frappent les écus avec une grande force. Les boucliers sont percés et les hauberts rompus. Les deux combattants sont désarçonnés. Messire Gauvain se relève et, l'épée nue, court sus à son adversaire. Celui-ci tarde à se relever.

Le neveu du roi Arthur lui dit :

— Il faut mener son combat à sa fin. C'est vous qui l'avez demandé. Faites front, messire, sinon je vous tue.

— Hélas, répond le chevalier, c'est déjà fait, messire. Vous êtes un redoutable jouteur, votre lance m'a traversé de part en part. Avant de mourir, je tiens à vous dire qui je suis. J'ai nom Yvain, je suis de la maison du roi Arthur et fais partie des chevaliers de la Table ronde.

Lorsque messire Gauvain entend ces mots, peu s'en faut qu'il ne meure de chagrin. Il s'empresse de délacer le heaume de son adversaire. Il voit bien que le chevalier n'a pas menti. Avec grande douleur, le neveu du roi Arthur reconnaît messire Yvain. Les larmes emplissent ses yeux.

— Quel immense regret j'aurai de vous, messire, quelle mésaventure !

— Qui êtes-vous, messire, pour parler ainsi ?

— Je suis Gauvain, le neveu du roi Arthur, votre

compagnon et ami, répond le chevalier en ôtant son heaume.

—Alors sachez que ma peine est adoucie de périr de la main d'un chevalier aussi valeureux que vous. Poursuivez votre quête et, à votre retour, saluez de ma part tous nos compagnons que vous retrouverez vivants. Avant de mourir, je veux vous confier une étonnante aventure que j'ai connue alors que je séjournais en une abbaye avec le roi Baudemagu de Gorre.

Et messire Yvain raconte ce qu'il sait de l'écu blanc à la croix vermeille que son compagnon et lui avaient découvert.

Il conclut :

—Ainsi qu'il l'avait dit, Galaad a bien reçu son écu d'une aussi merveilleuse manière que son épée.

Peu après, messire Yvain rend l'âme. Très affligés, Hector des Mares et messire Gauvain le font dignement ensevelir dans une abbaye voisine. Sur sa tombe sont inscrits son nom et celui de son vainqueur.

Après avoir versé d'amères larmes, les deux chevaliers reprennent leur chevauchée.

15

Bohor triomphe de Priadan le Noir

Depuis le début de la quête du Graal, Bohor a chevauché solitairement. Un soir, il parvient près d'une forte et puissante forteresse. Il y demande l'hospitalité. Dès que ses habitants savent qui il est, ils la lui accordent bien volontiers.

Une fois qu'il est entré dans la place, le chevalier est désarmé par des serviteurs qui le conduisent dans la grande salle de la demeure. La dame s'y trouve. Elle est belle et avenante. Pourtant, elle n'est que pauvrement vêtue.

À l'entrée du chevalier, la dame se lève, vient au-devant de lui et lui souhaite la bienvenue en des termes les plus courtois.

L'heure du repas a sonné. La dame s'empresse de dire à Bohor :

— Messire, veuillez prendre place à cette table, parmi nous.

Le chevalier la remercie et accepte volontiers l'offre qui lui est faite.

Après le dîner, un jeune homme demande à être reçu par la dame. Celle-ci est disposée à le recevoir.

Le jeune homme entre dans la salle, salue l'assemblée et dit :

— Dame, il faut que vous le sachiez, la situation empire. Votre sœur a fait la conquête de deux de vos châteaux, avec tous les vassaux qui y sont attachés. Elle les a obligés à lui prêter serment d'obéissance. Elle vous prévient qu'elle ne vous laissera aucune terre si demain, à l'aube, vous n'avez trouvé un chevalier prêt à combattre pour vous Priadan le Noir.

La dame est fort contrariée de ce qu'elle vient d'entendre. Elle confie à Bohor :

— Par jalousie, ma sœur cherche à me dépouiller des terres que m'a données le roi Amang.

Le chevalier demande :

— Qui est ce Priadan le Noir ?

— C'est le champion le plus redouté de toute la région. Il est capable des plus hautes prouesses.

Grâce à son aide, ma sœur est sûre de mener son entreprise à bonne fin.

— Dame, reprend Bohor, faites dire à votre sœur que vous avez trouvé un chevalier prêt à combattre pour défendre votre droit légitime.

— Messire, je vous sais gré de votre vaillance et de votre générosité. Votre venue est un grand bienfait pour moi. Que Dieu vous donne la force de triompher, tant ma cause est juste. Mais sachez que la tâche sera rude.

La dame ordonne de préparer un lit magnifique afin que Bohor puisse trouver le meilleur repos.

Le lendemain, le chevalier se lève de bonne heure. Il se fait apporter ses armes et les vérifie soigneusement. Quand il est prêt, il demande où se trouve le lieu prévu pour la joute. Nombreux sont ceux qui l'accompagnent. Ils arrivent dans une immense prairie, au creux d'un vallon. Tous ceux qui ont escorté Bohor prennent place pour assister au combat.

Les deux dames s'aperçoivent. Elles avancent l'une vers l'autre.

Celle dont Bohor défend les droits parle la première.

— Renoncez-vous à me dépouiller de mon bien ? demande-t-elle à sa sœur.

— Je le mérite plus que vous, répond la dame d'un air hautain.

Bohor lui dit alors :

— Vous, et tous ceux qui vous soutiennent, faites à votre sœur une guerre injuste et déloyale. Vous avez tort et elle a raison. Je suis prêt à faire changer d'avis tous ceux qui prétendraient le contraire.

Priadan le Noir s'avance, il dit d'une voix fière :

— Je n'ai cure de vos menaces. Nul n'a pu me vaincre.

Bohor reprend la parole :

— Je suis prêt à combattre pour que cette dame garde les terres dont son suzerain lui a fait don.

Tous ceux qui s'étaient approchés pour entendre le défi s'écartent. Les deux chevaliers s'éloignent suffisamment puis foncent l'un vers l'autre de toute la vitesse de leur destrier.

Dès les premiers coups, les lances sont brisées et les écus percés. Les combattants sont désarçonnés. Ils se relèvent sans tarder. Chacun se protège la tête de son bouclier tandis que les épées frappent de grands coups. Les hauberts se rompent et le sang jaillit.

La résistance de son adversaire surprend Bohor. Mais le chevalier sait que sa cause est juste. Cette pensée lui donne une nouvelle vigueur. Priadan le Noir s'épuise peu à peu. Il tombe à la renverse sur le sol, rougi du sang qu'ont perdu les deux combattants et jonché des mailles des hauberts. Bohor lui saisit le heaume et le lui arrache. Il est prêt à lui trancher la tête. L'autre craint la mort. Déjà, il voit l'épée de Bohor sur le point de le frapper à la hauteur du cou.

Il s'écrie :

— Grâce, messire, ayez pitié, je me rends à merci.

— Jures-tu de ne plus t'en prendre à cette dame ?

— J'en fais serment.

Bohor laisse aller le vaincu. La sœur de la dame s'enfuit en grande honte. Tous les vassaux, qui avaient été conquis malgré eux, jurent de nouveau fidélité à leur dame.

— Nous sommes heureux de pouvoir vous réaffirmer notre loyale soumission, lui disent-ils.

Bohor ne s'attarde pas. Il prend congé de la dame qui le remercie longuement. Le chevalier s'en va et regagne la forêt.

Le soir, Bohor trouve à loger chez une veuve qui lui réserve le meilleur accueil aussitôt qu'elle sait qu'il est chevalier de la Table ronde et qu'il entreprend la Quête du Graal.

16

BOHOR ABUSÉ

Le lendemain, à un carrefour, Bohor rencontre deux hommes en armes qui emmènent, sur une bête de somme, un malheureux chevalier, les mains liées dans le dos. Tout en avançant, ils battent leur prisonnier au sang. Celui-ci ne crie pas, malgré la violence de la douleur.

Bohor a tôt fait de reconnaître Lionel, son frère. Il est sur le point de s'élancer à son secours. À cet instant, il aperçoit un chevalier tout armé qui conduit de force une jeune fille au plus épais de la forêt. La demoiselle crie du plus fort qu'elle peut.

—À l'aide, secourez-moi, je vais perdre mon honneur !

Bohor ressent un grand trouble. Il craint de ne jamais revoir son frère, mais il ne peut laisser cette jeune fille aux mains de son ravisseur. Elle serait déshonorée par sa faute. Ce serait indigne de la part d'un chevalier de la Table ronde.

Il s'élance en s'écriant :

— Messire, laissez cette jeune fille ou vous êtes un homme mort.

À ces mots, le chevalier lâche la captive, tire son épée et fait front. D'un coup bien ajusté, Bohor lui perce l'écu et le haubert si bien que l'autre tombe mort.

— Demoiselle, vous voici délivrée.

— Grand merci, messire, vous m'avez sauvée du déshonneur. Voulez-vous bien me reconduire à l'endroit où ce chevalier m'a capturée ?

— Volontiers, répond Bohor.

Le chevalier fait monter la jeune fille sur le cheval du chevalier vaincu et conduit la demoiselle où elle souhaite aller. Ils rencontrent en chemin douze chevaliers armés. Ils étaient à la recherche de la jeune fille. Leur inquiétude était grande. La demoiselle leur raconte sa mésaventure et l'intervention salvatrice de Bohor. Tous font un chaleureux accueil au chevalier et le prient de rester parmi eux.

Il répond :

— Ne vous offensez point, messires, de mon refus.

Sachez que je vous suivrais avec joie si l'on n'avait grand besoin de moi pour empêcher une perte irréparable. Déjà cette aventure m'a retardé malgré moi.

Les chevaliers comprennent qu'ils ne doivent pas insister.

Bohor suit le chemin par lequel il a vu emmener Lionel. Il regarde de tous les côtés, écoute attentivement le moindre bruit de la forêt, mais il ne trouve rien qui puisse lui donner l'espoir de retrouver son frère.

Il continue sa chevauchée et rencontre un religieux monté sur un cheval plus noir que la nuit sombre.

—Chevalier, que cherchez-vous ? demande-t-il à Bohor.

—Je cherche mon frère. J'ai vu deux chevaliers le battre et l'emmener.

—Ah, Bohor ! Je sais que je vais vous affliger.

À ces mots, Bohor pense que son frère est mort. Il se met à pleurer d'amères larmes.

—Menez-moi à son corps que je puisse le faire enterrer avec tous les honneurs dus à un fils de roi, demande-t-il au religieux.

Ce dernier conduit le chevalier près d'une chapelle en ruine.

Bohor voit sur le sol un cadavre ensanglanté. Il croit bien reconnaître Lionel.

Il se lamente :

—Ah ! mon doux frère, puisque notre compagnonnage est fini, je n'ai plus de joie sur terre.

Il prend le mort, entre dans la chapelle en ruine et dépose le corps sur un grand tombeau de marbre. Bohor s'étonne, rien dans ces ruines n'évoque une chapelle.

Le religieux dit alors :

—Je reviendrai demain dire l'office pour votre frère. En attendant, un manoir tout proche nous hébergera pour la nuit.

Bohor suit le religieux jusqu'à la demeure. Les chevaliers, les dames et les demoiselles qui s'y trouvent leur réservent le meilleur accueil à tous deux. Le chevalier est désarmé. On lui met un manteau splendide sur les épaules. Tous cherchent à lui faire oublier la grande douleur qu'il vient de connaître et à le consoler de sa peine.

Entre alors une demoiselle. Jamais Bohor n'en a vu d'aussi belle ni d'aussi magnifiquement vêtue.

—Messire, dit un chevalier, voici la demoiselle à qui nous appartenons. C'est la plus belle et la plus riche de toute la terre. Vous êtes celui qu'elle aime le plus au monde. Il y a longtemps qu'elle vous attend. Elle a toujours refusé de prendre un autre ami.

Bohor est tout ébahi de ces paroles. Il salue la demoiselle. Elle lui rend son salut et tous deux s'assoient côte à côte. Ils commencent à parler ensemble.

La jeune fille lui dit qu'elle l'aime plus que tout autre homme et le prie d'être son ami.

— Si vous m'aimez, conclut-elle, vous aurez plus de pouvoir que n'en eut aucun de vos ancêtres.

Dans un grand trouble, Bohor répond :

— Dame, comment pouvez-vous me requérir d'amour, alors que mon frère gît, tout près d'ici, tué je ne sais de quelle manière.

— Bohor, il faut que vous compreniez combien je vous aime. Pour vous, ne suis-je pas allée jusqu'à enfreindre la coutume qui veut qu'une femme ne parle pas d'amour la première ?

— Demoiselle, je ne saurais vous aimer, répond simplement Bohor.

— Votre refus va me faire mourir sous vos yeux.

La demoiselle prend le chevalier par la main. Elle le conduit en haut de la tour. Elle monte sur un créneau et dit :

— Si vous ne voulez pas m'aimer, je me précipite au sol de cette hauteur. Vous serez responsable de ma mort.

La demoiselle est sur le point de se jeter dans le vide. Inquiet, le chevalier ferme les yeux et se signe. S'élève alors autour de lui un immense fracas.

Lorsqu'il rouvre les yeux, il ne voit plus ni le manoir, ni la tour, ni la dame, ni ses demoiselles, ni ses chevaliers. Le religieux lui-même a disparu. Bohor est seul, avec ses armes, près des ruines où il croit avoir laissé les restes de Lionel. Il comprend qu'il a été abusé par un faux religieux au service du Malin. Il voit bien que les ruines ne sont pas celles d'une chapelle. Il est soulagé de ne pas y trouver le corps de son frère. Il n'a porté qu'un fantôme.

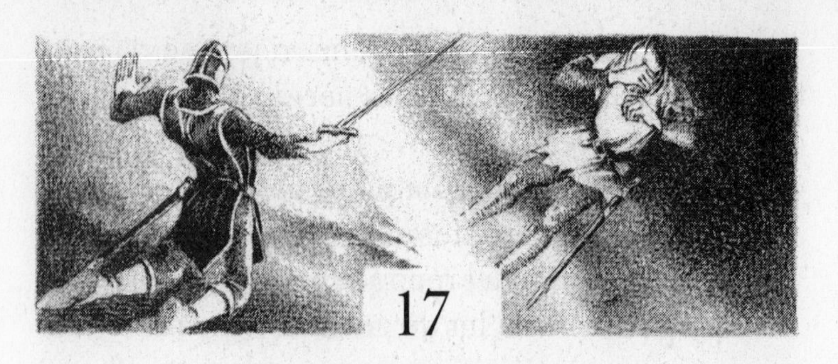

17

La lutte des deux frères

Bohor attend le jour pour se mettre en route. Alors qu'il s'approche d'un château, il rencontre un jeune homme. Le chevalier lui demande :

— Peux-tu me dire s'il y a quelque aventure à rencontrer par ici ?

— Certes oui, messire. Demain, devant ce château, un tournoi merveilleux est organisé. Vous y serez le bienvenu si vous désirez y prendre part.

Bohor décide qu'il s'y rendra. S'il n'y participe pas, il y assistera. Il espère ainsi rencontrer quelques compagnons de la quête qui pourront lui donner des nouvelles de son frère. Peut-être même aura-t-il la chance de retrouver Lionel lui-même.

Bohor prend le chemin d'un ermitage tout proche. Il compte y demander l'hospitalité pour la nuit.

À sa grande joie, il trouve Lionel, désarmé, à l'entrée de la chapelle. Lui aussi a décidé de dormir en ce lieu pour se rendre au tournoi le lendemain. À la vue de son frère, Bohor s'empresse de sauter à terre.

— Je suis si heureux de vous revoir, lui dit-il.

Sans se lever, Lionel répond :

— Bohor, il s'en fallut de peu que je ne fusse tué par votre faute, l'autre jour, lorsque deux chevaliers m'emmenaient malgré moi et me rouaient de coups, après m'avoir capturé par trahison. Au lieu de me venir en aide, vous avez préféré aller secourir une demoiselle et vous m'avez abandonné en péril de mort. Jamais un frère digne de ce nom ne se conduisit avec une telle déloyauté. Vous n'avez que la mort à attendre de moi.

À entendre Lionel parler ainsi, Bohor est si attristé et si dolent qu'il se jette aux genoux de son frère. Il joint les mains et le supplie de lui pardonner. Lionel ne veut rien entendre, il n'écoute pas son frère. Il affirme qu'il le tuera s'il le peut. Il entre dans l'ermitage où il a déposé ses armes. Il s'en revêt en hâte. Une fois armé, il enfourche son destrier et dit à Bohor :

— Remontez sur votre cheval et mettez-vous en garde sans tarder. Sinon sachez que je n'hésiterai pas à vous tuer bien que vous soyez à pied. J'en aurai grande honte mais, à mes yeux, cela vaut mieux que votre déshonneur, et peu me chaut d'être blâmé pour avoir agi ainsi tant mon ressentiment après vous est violent.

Bohor ne sait que faire. Il ne veut pas jouter contre son frère aîné, mais il voit bien qu'il est en grand péril. Il s'agenouille de nouveau et pleure aux pieds du cheval de Lionel.

—Pour l'amour de Dieu, mon frère, ne me tuez pas. Souvenez-vous du grand amour qui doit exister entre vous et moi.

Lionel est trop furieux pour l'écouter. Il voit bien que Bohor n'est pas décidé à monter à cheval. Il pique des deux et assène à son frère un coup des plus violents en pleine poitrine. Bohor tombe sur le sol. Il est blessé. Dans sa colère, Lionel lui passe sur le corps avec son cheval. Tout meurtri, Bohor s'évanouit. Lionel met pied à terre. Il s'approche. Il est résolu à couper la tête de son frère.

Lionel est sur le point d'arracher le heaume de Bohor. L'ermite, alerté par le bruit de la joute, accourt. Il se précipite auprès de Bohor et empêche Lionel d'approcher.

—Noble chevalier, ne tue pas ton frère. Tu commettrais une grande faute et ce serait une perte irréparable que celle d'un des meilleurs chevaliers du monde.

– Si vous le protégez, je vous tuerai d'abord et lui ensuite, répond Lionel, plein de fureur.

– Sache que je ne bougerai pas. Ma mort ne sera pas une perte plus grande que la sienne.

L'ermite serre Bohor toujours sans connaissance contre lui. Lionel tire son épée et frappe le vieillard avec une rare violence. Ce dernier tombe mort. Le chevalier délace ensuite le heaume de Bohor. Il est sur le point de tuer son frère.

Survient alors Calogrenant. Il est tout étonné de voir l'ermite gisant sur le sol. Il reconnaît le visage de Bohor. Il tire Lionel en arrière et lui dit :

– Avez-vous donc perdu le sens de vouloir tuer votre frère ?

– Vous aussi, vous prétendez le secourir ! Si vous vous mêlez de cette affaire, je vous tuerai aussi.

Lionel est de nouveau prêt à se jeter sur Bohor. Calogrenant s'interpose et tire son épée. La mêlée est rude. Les coups échangés sont d'une extrême violence.

Pendant ce temps, Bohor reprend connaissance. Il voit Lionel aux prises avec Calogrenant. Il est fort anxieux. Il n'a pas la force d'aller séparer les deux combattants et il redoute autant la victoire de l'un que celle de l'autre. La mort de son frère le priverait de toute joie, mais il sait que si Calogrenant succombe, il sera de nouveau en péril de mort.

Calogrenant est sur le point d'être défait. Son écu et son haubert ne le protègent plus guère. Il a déjà perdu beaucoup de sang. Il crie :

— À l'aide, Bohor, venez me tirer de ce péril où je me suis aventuré pour vous.

Bohor se remet debout à grand-peine. Il relace son heaume. À ce moment, d'un dernier coup d'épée, Lionel abat Calogrenant qui tombe mort. Aussitôt, Lionel court à son frère. Celui-ci le supplie de nouveau, en vain. Bohor lève son épée pour se défendre.

Un brandon de feu, semblable à la foudre, tombe alors du ciel entre les deux frères. Tous deux sont renversés, leurs écus sont brûlés.

Une voix mystérieuse dit :

— Cessez ce combat. Bohor, quitte la compagnie de ton frère. Achemine-toi, dès maintenant, vers la mer. Perceval t'y attend.

Impressionnés, Lionel et Bohor demeurent à terre, silencieux et immobiles.

18

Bohor rejoint Perceval

Lionel et Bohor se relèvent. Ils voient le sol calciné. Bohor se réjouit que son frère n'ait aucun mal. Il lui dit :

— Vous n'avez certes pas bien agi en tuant cet ermite et Calogrenant. Il était chevalier de la Table ronde et cousin de messire Yvain. Ne quittez pas ces lieux avant que leurs corps aient été dignement mis en terre.

— Et vous, qu'allez-vous faire, demande Lionel, ne resterez-vous pas jusqu'à ce qu'ils aient été ensevelis ?

— Non, je dois gagner le bord de la mer dès cet instant.

Bohor quitte son frère. Il songe avec allégresse à cette merveilleuse intervention salutaire qui a mis fin à sa lutte contre Lionel et qui l'a guidé dans sa quête. Il chevauche rapidement par longues étapes. Il ne tarde pas à rejoindre le bord de la mer. Parvenu au rivage, il voit venir un splendide vaisseau, tout couvert de soie blanche.

Quand le navire est assez proche, Bohor comprend bien qu'il ne pourra embarquer son cheval. Il se résigne à le laisser aller et s'empresse de monter à bord.

Un chevalier couvert de toute son armure, hormis le heaume, semble l'y attendre. Bohor a tôt fait de reconnaître Perceval et court vers ce dernier avec joie.

—Ce m'est une grande satisfaction de vous retrouver, messire.

Perceval est tout surpris. Il ne sait qui s'adresse ainsi à lui.

—Qui êtes-vous, messire, et comment êtes-vous venu ici ?

En souriant, Bohor délace son heaume. Perceval le reconnaît aussitôt et lui fait le meilleur accueil. Bohor explique :

—Une voix mystérieuse m'a donné l'ordre de rejoindre ce rivage. Elle m'a précisé que je vous y trouverais. Elle n'a pas menti.

Perceval, à son tour, lui raconte les aventures qu'il a connues sur le rocher et conclut :

– Il ne manque que Galaad pour que soit tenue la promesse que m'a faite la voix que j'ai entendue, après la disparition de cet homme vêtu de blanc qui m'a laissé ce navire. J'ai hâte que notre compagnon nous rejoigne. Mais pas plus que de la vôtre, ne m'a été dit le moment de sa venue.

Peu après, le vent gonfle les voiles et le vaisseau file vers la haute mer à une si vive allure qu'il semble voler sur les eaux. Il emporte les deux compagnons.

19

La blessure de messire Gauvain

Après son intervention qui a sauvé Perceval, alors que ce dernier était attaqué par vingt chevaliers, Galaad a pris le chemin de la Gaste Forêt. Il y accomplit maints exploits, ne comptant pas sa peine et venant sans cesse au secours de ceux qui sont en difficulté.

Le chevalier chevauche ensuite à travers tout le royaume de Logres.

Un jour, il passe devant un château où est organisé un tournoi.

Un des camps a déjà tant fait que l'autre cède du terrain. Galaad décide de venir en aide à ceux qui reculent.

Il pique des deux et s'élance en plein cœur de la mêlée. Il frappe violemment le premier adversaire qu'il rencontre. Il lui brise la lance et le fait voler à terre. Il met la main à son épée et se jette au milieu des combattants. Il abat chevaux et chevaliers avec une ardeur farouche. Tous les participants sont impressionnés.

Messire Gauvain et Hector des Mares sont dans l'autre camp. Dès qu'ils reconnaissent l'écu blanc à la croix vermeille, ils se disent :

—Voici l'écu dont messire Yvain nous a raconté la merveilleuse histoire avant de mourir. Celui qui le porte ne peut être que Galaad, le chevalier Désiré. Ce serait folie de l'attaquer. Nulle armure ne résisterait à ses coups.

Les chevaliers n'ont ni le désir ni l'intention de jouter contre Galaad. Mais, soudain, celui-ci survient de toute la vitesse de son destrier. Il ne peut reconnaître le neveu du roi Arthur. Il le frappe si violemment qu'il lui fend le heaume et le désarçonne.

Hector des Mares s'empresse de s'écarter. Il sait qu'il ne peut se mesurer à Galaad.

En outre, il ne souhaite pas le combattre.

Ceux qui allaient être défaits reprennent courage.

Peu après, leurs ennemis s'enfuient, poursuivis par Galaad.

Messire Gauvain se demande s'il réchappera du coup qu'il a reçu.

Hector des Mares dit alors :

— Après une telle blessure, il semble, messire, que notre quête est finie.

Le neveu du roi Arthur lui répond :

— La mienne, certes, mais la vôtre non, messire. Poursuivez-la.

Les chevaliers du château sont affligés de la blessure de messire Gauvain tant ce dernier est connu et estimé.

Ils le désarment avec grand soin, le couchent dans une belle chambre paisible et appellent aussitôt le meilleur médecin qu'ils connaissent.

Dès que celui-ci arrive, les chevaliers du château lui disent :

— Si vous réussissez à guérir ce chevalier que nous aimons fort, nous vous promettons de vous donner assez de biens pour que vous soyez riche toute votre vie, quelle qu'en soit la durée.

Le médecin examine très attentivement la plaie du neveu du roi Arthur, puis il dit :

— Messire, je pense être en mesure de vous guérir. Si tout se passe comme je l'espère, dans un mois vous pourrez sans doute de nouveau chevaucher et porter une armure.

Rassuré, Hector des Mares prend congé de messire Gauvain.

– Je vous souhaite prompte guérison.

– Et moi, je vous souhaite bonne aventure, lui répond le neveu du roi Arthur.

20

Galaad rejoint Perceval et Bohor

Voyant qu'il a mis les chevaliers du tournoi en déroute, Galaad cesse de les poursuivre.

Le chevalier parvient à un ermitage. Il y est fort aimablement accueilli. L'ermite soigne le destrier de Galaad et offre un bon repas puis un lit des plus confortables au jeune homme.

À peine celui-ci est-il endormi qu'une jeune fille frappe à la porte.

L'ermite demande :

— Qui cherche à entrer à pareille heure ?

— Messire, je suis une demoiselle qui désire parler au chevalier que vous hébergez.

— C'est impossible, mademoiselle. Il repose, sa journée a sans doute été rude. Ne pouvez-vous pas attendre son réveil ?

— Hélas non, il importe que je le voie sans tarder.

L'ermite éveille Galaad.

— Messire, je vous prie de m'excuser de troubler votre repos, mais une demoiselle vous demande, elle semble avoir grand besoin de vous.

Galaad se lève, il salue la jeune fille.

— Demoiselle, que me voulez-vous ?

— Je désire que vous vous armiez. Ensuite, vous monterez en selle et me suivrez. La plus haute aventure que vît jamais chevalier vous attend.

Galaad prend ses armes, enfourche son destrier. Il salue l'ermite et le remercie de son bon accueil. Il est prêt à suivre la jeune fille.

— Demoiselle, nous irons où vous le désirez.

Ils chevauchent ainsi tout le reste de la nuit et tout le jour. Le soir, ils font une brève halte dans un château où ils sont magnifiquement reçus. Leurs hôtes les prient de passer la nuit dans la demeure. Galaad est sur le point d'accepter tant l'accueil a été chaleureux, mais la demoiselle répond la première.

— L'aventure où je conduis ce chevalier ne saurait attendre. Nous ne pouvons demeurer davantage.

La jeune fille et Galaad chevauchent de nouveau à grande allure. Ils vont si bien qu'ils parviennent à la mer. Ils mettent pied à terre.

Ils voient un vaisseau qui s'approche du rivage. À son bord se trouvent Perceval et Bohor. Du plus loin qu'ils aperçoivent Galaad, ils lui crient :

— Messire, soyez le bienvenu. Nous vous attendons depuis longtemps.

Galaad reconnaît ses compagnons. Il a grande joie de les retrouver. Il dit à la jeune fille :

— Demoiselle, viendrez-vous avec moi dans ce navire ?

— Oui, messire. Nous laisserons nos chevaux ici.

Galaad desselle son destrier et le palefroi de la jeune fille. Le chevalier et la demoiselle rejoignent le vaisseau. À peine sont-ils à bord que l'embarcation est poussée par un fort vent. Elle s'éloigne de la rive à une allure si vive, qu'au lever du jour, on ne voit aucune terre, si loin que l'on regarde.

Galaad demande à Perceval et à Bohor :

— Savez-vous, messire, d'où vient cet étrange vaisseau qui me paraît si beau à la lumière du jour ?

Bohor dit :

— Je n'en sais rien. Pour ma part, j'y ai été conduit par une voix mystérieuse.

Perceval raconte alors son aventure sur la mystérieuse île montagneuse. Il conclut :

– Celui qui m'a laissé ce navire et qui a disparu aussitôt après, avant même que je sois à bord, ne m'en a rien dit. Quant à la voix que j'ai entendue ensuite, elle m'a bien annoncé votre venue à tous deux, Bohor et Galaad, mais elle ne m'a jamais parlé de la demoiselle.

– Pourtant, je ne serais jamais venu ici, si elle ne m'y avait mené, répond Galaad. En effet, je ne partais pas en direction de la mer. Il est tout aussi vrai que je ne m'attendais pas à vous rencontrer en un lieu si étrange.

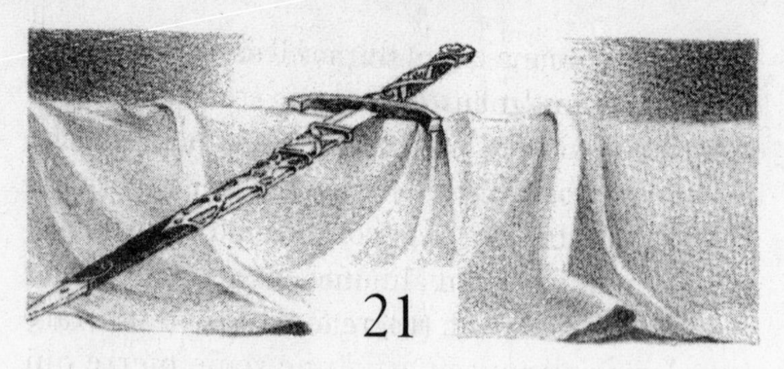

21

L'ÉPÉE À L'ÉTRANGE BAUDRIER

Le vaisseau continue de filer à pleines voiles toute la journée. Les trois chevaliers et la demoiselle conversent agréablement. Le soir, le navire atteint une île sauvage, cachée au fond d'un golfe. Au détour d'un énorme rocher impressionnant, les chevaliers et la demoiselle aperçoivent un autre bateau.

La demoiselle dit alors :

— Messires, c'est sur ce navire que va débuter l'aventure pour laquelle vous êtes réunis. Il convient de le rejoindre.

Les chevaliers amarrent solidement leur vaisseau. Ils le quittent et gagnent le nouveau navire à bord duquel ils montent.

Ils le trouvent encore plus beau que le précédent.

Jamais personne n'en vit de pareil sur la terre. Ils y découvrent un lit sur lequel est étendu un tissu magnifique. Galaad le soulève. La plus belle couche du monde apparaît à ses yeux et à ceux de ses compagnons. Au chevet, une couronne d'or brille de mille feux et, au pied du lit, une épée étincelle. Elle est à demi tirée de son fourreau. Elle est d'une rare beauté. Son pommeau est d'une seule pierre qui offre au regard toutes les couleurs de la terre.

Les chevaliers et la demoiselle lisent alors une inscription qui dit : « Je suis merveilleuse à regarder, plus merveilleuse encore à connaître. Nul ne peut m'empoigner hormis celui à qui je suis destinée. »

– Par ma foi, dit Perceval, je vais essayer.

Il tente vainement de prendre l'arme. Bohor essaie à son tour, il n'y parvient pas davantage. Les deux chevaliers se tournent vers Galaad.

– Nous savons bien, messire, que vous réussirez là où nous avons échoué.

– Je n'en ferai rien, répond le jeune homme. Je vois trop de choses surprenantes ici. Regardez cette autre inscription : « Que nul ne soit si hardi pour me tirer du fourreau s'il ne doit frapper plus vaillamment que tout autre. Quiconque agirait autrement encourrait grand péril. »

Les chevaliers laissent l'épée et examinent de nouveau le fourreau qui les émerveille. Ils sont surpris par le baudrier. Il ne semble pas convenir à une arme aussi précieuse que celle qu'ils ont devant les yeux. Il est fait de pauvre chanvre et paraît bien trop faible pour supporter le poids de l'épée sans se rompre. Les chevaliers lisent alors, sur le fourreau, une troisième inscription. Elle dit : « Ce baudrier ne peut être ôté que par la main d'une jeune fille. Elle l'échangera contre un autre qui sera fait de ce qui, en elle, lui est le plus cher. »

Perceval dit alors :

— Il nous faut nous mettre sans tarder en quête de la demoiselle qui changera ce baudrier. Nul ne pourra ôter l'épée du fourreau tant que l'échange n'aura pas été fait.

La jeune fille prend la parole :

— Il est inutile, messires, que vous vous mettiez en quête. L'épée aura ce qui lui manque dans peu de temps.

— Que voulez-vous dire ? interrogent les chevaliers. Seriez-vous cette demoiselle dont parle l'inscription ? La raison de votre venue et de votre présence parmi nous serait claire.

Sans répondre, la jeune fille ouvre un écrin et en

tire un splendide baudrier fait d'or, de soie et de cheveux. Ceux-ci sont si brillants qu'on a peine à les distinguer des fils d'or.

– Voici, messires, le baudrier qui convient. Je l'ai fait de ce qui m'était le plus cher : mes cheveux.

Elle se tourne vers Galaad.

– Sachez que je les ai fait tondre le jour où vous avez été armé chevalier par Lancelot, votre père. J'en ai ensuite tressé ces fils.

La demoiselle ôte le baudrier de chanvre et y substitue le sien.

Perceval et Bohor disent à Galaad :

– Maintenant, messire, vous pouvez bien tenter d'empoigner l'épée.

Galaad saisit l'arme qui sort aisément du fourreau. La lame est claire comme un miroir. Après l'avoir longuement contemplée, Galaad ceint l'épée.

Les chevaliers et la demoiselle quittent alors le navire et regagnent celui qui les a conduits en ce lieu.

22

LA DEMOISELLE DONNE SA VIE POUR SAUVER UNE LÉPREUSE

Le lendemain, Perceval, Galaad, Bohor et la demoiselle parviennent à un nouveau rivage.

Ils quittent leur vaisseau et s'avancent dans les terres. Ils rencontrent une dizaine de chevaliers.

—Qui êtes-vous ? demandent ces derniers d'un ton brutal.

Les trois compagnons répondent ensemble :

—Nous sommes de la maison du roi Arthur.

—Rendez-vous ou vous allez périr.

—Il n'en est pas question.

—Vous êtes perdus, disent les autres en lançant leurs destriers.

—Lâches ! s'écrient Perceval, Galaad et Bohor,

qui attaquez à cheval des hommes qui sont moins nombreux et qui vont à pied.

Pourtant, les trois compagnons n'ont pas peur. Ils tirent leurs épées et s'empressent de faire front à leurs assaillants.

Perceval jette rapidement un premier adversaire à terre et lui prend sa monture. Galaad en fait autant. Un troisième est tué peu après. Bohor enfourche le destrier qui n'est plus monté.

Les chevaliers de la Table ronde font merveille. Les agresseurs s'en rendent vite compte. Ils ne tardent pas à s'enfuir.

Les trois compagnons et la demoiselle continuent leur chemin. En s'approchant d'un château, ils croisent un chevalier qui les salue.

– Messires, est-ce une jeune fille qui va en votre compagnie ? demande-t-il ensuite.

– Oui, en vérité.

– Alors, il lui faut nous suivre pour se soumettre à la coutume du château.

– Vous ne parlez pas sagement, répond Perceval. Une demoiselle, en quelque lieu qu'elle soit, est franche de toute coutume.

Mais le chevalier sonne du cor. Ses compagnons,

bien armés, ne tardent pas à le rejoindre. La joute commence. Galaad frappe si fort de sa nouvelle épée que chacun des coups qu'il porte fait l'admiration de Perceval et de Bohor. Le combat dure jusqu'à la nuit.

Le chevalier propose alors :

— Messires, si vous le voulez bien, nous reprendrons cette joute demain, quand le jour sera levé. Je vous offre une trêve loyale et je vous prie d'accepter notre hospitalité pour ce soir. Nous saurons vous héberger comme il convient.

Les trois compagnons acceptent.

Le repas achevé, Perceval, Galaad et Bohor demandent :

— Nous direz-vous quelle est la coutume à laquelle vous vouliez soumettre cette demoiselle qui nous accompagne ?

— Volontiers. La demoiselle à qui appartient ce château, et dont nous sommes les vassaux, est tombée gravement malade. Le médecin qui l'a examinée vit bien qu'elle était atteinte de la lèpre. Il se déclara incapable de la guérir. Tous les autres, parmi les meilleurs, que nous avons consultés, se sont reconnus tout aussi impuissants face à ce mal terrible. Récemment, le plus savant d'entre eux nous a dit qu'elle ne guérirait que le jour où nous pourrions l'oindre entièrement du sang d'une jeune fille de grand mérite. C'est pourquoi nous avons décidé de demander à chaque demoiselle qui viendrait à passer de nous donner son sang pour guérir notre maîtresse. Le traitement est bien cruel, mais nous tenons tellement à elle que nous voulons tout tenter pour la sauver.

La jeune fille s'adresse à ses compagnons.

—Vous voyez bien que cette demoiselle est gravement malade. Pourtant elle est bonne et aimée de tous ses vassaux. Elle ne tardera pas à mourir. Or, je peux la guérir, je dois donc faire don de mon sang.

—C'est folie, s'écrie Perceval. Vous êtes si jeune et si délicate, vous en mourrez, sans nul doute.

—Mais si je meurs pour la sauver, j'agirai avec noblesse et amour. En outre, si je refuse, vous devrez reprendre le combat demain, à l'aube. Cette joute ne manquera pas de faire de nombreuses victimes innocentes. Permettez donc que je fasse don de mon sang.

Les trois chevaliers demeurent longtemps silencieux. À la fin, ils acceptent, à contrecœur.

Le lendemain matin, la jeune fille demande que l'on aille chercher un sage ermite qui demeure dans le bois tout proche.

Puis elle dit, d'une voix douce :

— Que l'on fasse venir la demoiselle de ce château.

La malade entre dans la salle. Elle est toute maigre. Son visage est si creusé que tous voient combien elle a souffert et pensent que c'est merveille qu'elle vive encore.

La jeune fille tend son bras. Elle se fait courageusement ouvrir une veine du poignet, d'une petite lame plus tranchante que le plus fin rasoir. Le sang jaillit.

La jeune fille dit à la demoiselle du château :

— Vous penserez à moi. Je vais mourir pour vous guérir et vous sauver d'un mal cruel.

Ensuite, elle tourne son visage, qui pâlit peu à peu, vers ses compagnons.

— Je vous prie, après ma mort, de ne pas mettre mon corps en terre en ce pays. Rejoignez le port le plus proche de ce château et portez-moi sur un petit navire, qu'il n'ait ni rame ni voile, et laissez-le aller. Je voguerai ainsi au gré des flots. Ensuite, partez d'ici, séparez-vous, que chacun suive sa voie jusqu'à ce que vous vous retrouviez au château de Corbenyc. C'est là que Mordrain s'est retiré, dans le triste état qui est le sien, depuis qu'il a voulu voir le Graal alors qu'il n'en était pas digne. Quant à moi, vous me retrouverez plus tard, en la cité de Sarras, à la fin de la quête. Alors, pour mon honneur, faites-moi enterrer au Palais spirituel.

Pendant que la jeune fille parle, le sang vermeil coule abondamment et emplit l'écuelle dans laquelle il est recueilli. Le cœur triste et l'âme en peine, les trois chevaliers promettent à la demoiselle de respecter sa volonté.

L'ermite s'approche. La jeune fille s'évanouit et meurt en grande dévotion.

Pendant ce temps, la demoiselle du château est lavée à l'aide du sang de la jeune fille.

Ainsi nettoyée de sa lèpre, elle retrouve sa fraîcheur et sa beauté.

Galaad, Perceval et Bohor font embaumer le corps de la morte avec plus de soin que s'il s'agissait de celui du plus puissant empereur. Ils font ensuite construire une nacelle qu'ils couvrent d'une précieuse soierie. Ils y placent un très beau lit sur lequel ils étendent le corps de la jeune fille.

Perceval relate par écrit tout ce que la demoiselle a entrepris, comment elle les a guidés et dans quelles circonstances elle a trouvé la mort.

—Avec cette inscription, dit le chevalier, ceux qui

pourraient la rencontrer sauront quels furent sa valeur et son mérite.

Les trois chevaliers poussent ensuite la nacelle vers la mer.

Ils demeurent sur le rivage. Ils pleurent amèrement. Lorsque le vaisseau est hors de vue, ils retournent au château. Ils ne veulent point y entrer en souvenir de la jeune fille. Ils se font apporter leurs armes et amener leurs chevaux.

Perceval, Galaad et Bohor se souhaitent de bonnes aventures, montent en selle et se quittent le cœur triste. Chacun suit sa voie ainsi que l'a dit la demoiselle.

23

Lancelot et Galaad se retrouvent

Lancelot a obéi à la voix mystérieuse qu'il a entendue dans son sommeil. Après une longue marche harassante, il finit par atteindre le bord de la mer. Il reste sur le rivage à scruter l'horizon.

Un étrange vaisseau, sans voile ni aviron, s'approche. Lancelot se rappelle ce que lui a dit la voix. Dès que le navire est assez proche, le chevalier s'empresse de monter à son bord.

Lancelot voit, au milieu du bateau, un lit magnifique. Une jeune fille, le visage découvert, y repose. Intrigué, le chevalier s'approche. Il découvre, près du corps de la demoiselle, une inscription. Lancelot lit : « Cette demoiselle a guidé Galaad, fils de Lancelot du Lac, c'est elle qui a changé le baudrier de l'épée que porte maintenant le chevalier Désiré.

Elle a donné son sang pour sauver une lépreuse de male mort. À sa demande, Bohor, Galaad et Perceval l'ont mise sur ce navire qu'ils ont laissé errer au gré des flots. »

Lancelot est heureux d'apprendre que Bohor, Perceval et Galaad ont été réunis et qu'ils ont connu de merveilleuses aventures. Le chevalier se demande ce qu'il va lui arriver.

Le bateau s'éloigne du rivage et navigue toute la nuit.

Au matin, il approche de nouveau de la terre et s'immobilise en bordure d'une forêt. Lancelot observe attentivement l'orée du bois et tend l'oreille. Il entend d'abord un chevalier venir à grand bruit. Peu après, il le voit sortir de la forêt. Le chevalier met pied à terre, desselle son cheval qu'il laisse aller. Il rejoint le bateau et monte à bord tout armé. Il dit à Lancelot :

– Messire, je vous souhaite heureuse aventure. Si vous le voulez bien, dites-moi qui vous êtes, j'ai grand désir de le savoir. Nous sommes appelés à demeurer quelque temps ensemble.

– Je vous le dirai volontiers. Je suis Lancelot du Lac.

— Ah ! messire, ma joie est profonde, je désirais tant vous rencontrer.

En disant ces mots, le chevalier quitte son heaume.

— C'est donc vous, Galaad, dit Lancelot qui reconnaît son fils.

— Oui, messire, en vérité.

Tous deux sont heureux de se retrouver. Ils s'embrassent longuement avec tendresse.

Galaad reconnaît la demoiselle sur le lit. Il montre son épée à Lancelot. Il raconte en détail toutes les aventures qu'il a rencontrées depuis le début de la Quête.

Il conclut :

— C'est vraiment merveille que de vous retrouver sur ce vaisseau. Qui vous y a conduit ?

— Je n'ai fait qu'écouter une voix mystérieuse. Elle m'a ordonné de rejoindre ce rivage et de monter à bord du premier navire qui apparaîtrait. J'étais bien désemparé quand je l'ai entendue.

Lancelot et Galaad parlent de longs moments tant ils ont à se dire.

Les deux chevaliers demeurent ensemble quelque temps. Un jour, vers midi, un chevalier à l'armure toute blanche sort du bois. Il s'approche du rivage et dit, dès qu'il peut être entendu du navire :

— Galaad, vous avez assez demeuré en compagnie de votre père. Quittez ce vaisseau, montez sur ce beau cheval blanc dont je vous fais présent et allez où l'aventure vous conduira. Le temps est venu d'achever la quête du Graal. Vous ne sauriez prendre du retard pour accomplir ce qui vous est réservé.

Le chevalier blanc disparaît. Galaad et Lancelot restent silencieux. Ils savent bien qu'il leur faut obéir à ce mystérieux messager.

Sans mot dire, Galaad prend ses armes, embrasse une dernière fois son père avec grande émotion et quitte le navire.

24

Lancelot au château du Graal

Après le départ de Galaad, le navire reprend la mer. Demeuré seul à bord, Lancelot navigue ainsi en compagnie du corps de la demoiselle dont il connaît, maintenant, toute l'histoire.

Un soir, alors que la nuit est sur le point de tomber, le navire parvient en vue d'une terre.

Lancelot entend alors une voix qui lui dit :

– Lancelot, tu es arrivé au lieu où l'aventure devait te conduire. Quitte maintenant ce vaisseau et rends-toi au château que tu trouveras à une faible distance du rivage. Entre à l'intérieur. Tu y trouveras une grande partie de ce que tu as tant désiré connaître.

Lancelot s'empresse de prendre ses armes. Il ignore ce qui l'attend mais il sait qu'il doit faire confiance à cette voix. Il marche en direction du château.

Il pénètre dans la forteresse et se rend au donjon. L'heure est tardive. Tout le monde est couché. Lancelot monte l'escalier et entre, tout armé, dans la grande salle. Elle est déserte. Puisque personne n'est là pour l'inviter ou l'aider à se désarmer, le chevalier conserve son armure.

Lancelot voit une porte bien close. Il cherche à l'ouvrir, mais ses efforts sont vains. Il entend, à travers elle, une voix mélodieuse et douce. Elle chante : « Gloire, louange et honneur au Seigneur. » Lancelot pense que le Saint-Graal est derrière cette porte. Aussi s'empresse-t-il de s'agenouiller.

La porte s'entrouvre toute seule et une grande clarté sort de la pièce. Lancelot regarde à l'intérieur. Il voit le Saint-Graal, posé sur une grande table d'argent. Devant le vase sacré se tient un homme vêtu comme un évêque. Lancelot cherche à entrer dans la pièce pour voir de plus près cette étrange scène, mais il est retenu par un souffle aussi brûlant que s'il avait été chargé du feu le plus ardent. Le chevalier ne peut faire un pas de plus. Il est incapable de remuer un seul de ses membres. Comprenant bien qu'il ne pourra avancer davantage, le chevalier demeure à la porte, en muette contemplation.

Le lendemain, au lever du jour, les habitants du

château trouvent Lancelot couché à l'entrée de la pièce. Leur surprise est grande.

Ils demandent :

– Que vous est-il arrivé, messire ?

Lancelot ne peut répondre. Il reste muet et immobile. Ceux du château pensent qu'il est mort. Ils écoutent son cœur et tâtent son pouls. Ils voient bien alors qu'il est encore en vie mais qu'il ne peut ni bouger ni parler. Ils l'emportent dans une chambre somptueuse et ils le couchent dans un lit richement décoré.

Lancelot demeure plusieurs jours dans cet état. Ceux du château n'ont de cesse de le veiller. Ils pensent qu'il va mourir. Mais, un matin, le chevalier finit par ouvrir les yeux. Il dit :

– Je regrette de m'éveiller si tôt.

Ceux qui sont près de lui s'écrient :

– Ne dites pas cela, messire. Nous nous réjouissons de vous entendre parler. Vous nous avez donné de grandes inquiétudes.

– Je vous crois, répond Lancelot, mais j'entrevoyais de telles merveilles dans mon sommeil que je ne me console pas qu'il ait pris fin.

– Nous direz-vous, messire, ce que vous avez vu ? Nous aurions sûrement grande joie à l'entendre.

— Mes paroles ne sauraient vous décrire ces merveilles. Elles sont par trop étrangères au monde terrestre.

Ceux qui entourent Lancelot comprennent bien que le chevalier ne pourra rien dire. Après un silence, Lancelot s'enquiert du lieu où il se trouve.

— Quelle étrange aventure, dit-il, un vaisseau m'a mené au rivage, une voix mystérieuse m'a ordonné de venir ici. Me direz-vous où je suis ?

— Vous êtes, messire, au château de Corbenyc. À votre tour, nous direz-vous votre nom ?

— Volontiers, je suis Lancelot du Lac.

La nouvelle se répand dans le château. Un chevalier s'empresse d'aller prévenir le roi Pellès.

— Sire, le chevalier que nous avons trouvé, l'autre matin, sans connaissance, est revenu à lui. Il est sain et sauf. Il a recouvré l'usage de la parole. Il n'est autre que messire Lancelot du Lac.

Tout heureux, le roi Pellès se rend dans la chambre où se trouve le chevalier. Celui-ci se lève à son entrée.

— Soyez le bienvenu, Lancelot, dit le roi.

— Sire, je vous remercie. C'est une grande joie de me retrouver auprès de vous. Me donnerez-vous des nouvelles de votre fille ?

— Hélas ! elle est morte, répond le roi Pellès avec une profonde tristesse dans la voix.

Lancelot ne dit mot pour que le roi Pellès n'évoque pas de douloureux moments, mais il est fort affligé. Il connaissait le grand mérite de celle qui donna le jour à Galaad. Le roi comprend la délicatesse du chevalier qui ne pose pas de questions.

— Suivez-moi, Lancelot, allons dans la grande salle, dit-il, après un silence lourd d'émotion.

Le roi Pellès et le chevalier quittent la chambre où ce dernier a séjourné. Tous les habitants du château réservent le meilleur accueil à Lancelot.

25

LE RETOUR DES CHEVALIERS

Lancelot demeure au château de Corbenyc pour le plus grand agrément du roi Pellès qui désirait depuis longtemps sa compagnie. Les deux hommes ont plaisir à s'entretenir.

Un soir, alors que le Saint-Graal a déjà couvert les tables d'une abondance de mets exquis, les portes de la salle se ferment toutes seules. Un chevalier armé, monté sur un splendide cheval, se présente à l'entrée de la forteresse. Il demande qu'on lui ouvre. Les gardes refusent.

— Nous ne pouvons, messire, lui disent-ils.

Le chevalier insiste avec véhémence. Il crie si fort que ses appels parviennent jusqu'à la salle. Le roi Pellès se lève, quitte la table où tous sont installés et vient à une fenêtre.

— Messire, dit-il, le Saint-Graal est ici. Par son effet, les portes de la salle se sont fermées toutes seules. C'est signe que vous n'êtes pas digne de pénétrer en ce château. Nous ne pouvons donc vous laisser entrer, quelle que soit votre insistance et quelque désir que vous en ayez.

Le chevalier est fort dolent de ce qu'il entend. Il pense : « Hélas ! pour moi, la quête est finie. »

Il s'apprête à s'éloigner. Le roi Pellès le rappelle.

— Puisque vous êtes venu jusqu'ici, je vous prie, messire, de nous dire qui vous êtes.

— Sire, je viens du royaume de Logres. Je suis chevalier de la Table ronde et j'ai nom Hector des Mares.

Lorsque Lancelot apprend qu'Hector des Mares n'a pas été jugé digne d'être accueilli au château, il en ressent un grand chagrin, tant il estime ce compagnon. À l'issue du repas, le chevalier dit au roi :

— Sire, je dois regagner le royaume de Logres que j'ai quitté il y a si longtemps. Après ce que j'ai vu ici, je crois bien qu'il ne pourra m'être offert plus haute aventure en cette quête.

— Lancelot, répond le roi, vous savez bien que, quelque chère que puisse m'être votre compagnie, je ne saurais vous retenir contre votre volonté.

Le lendemain matin, de bonne heure, on apporte ses armes à Lancelot. Le roi Pellès lui fait amener une monture forte et rapide.

Lancelot prend congé du roi Pellès. Il monte à cheval et quitte le château. Il chevauche à grandes étapes.

Un matin, alors qu'il s'éloigne d'un ermitage où il a passé la nuit, Lancelot voit, à sa droite, un magnifique tombeau. Le chevalier s'approche du monument pour voir qui peut gésir en une si belle tombe. Il lit l'inscription : « Ci-gît le bon roi Baudemagu de Gorre, tué par messire Gauvain, neveu du roi Arthur. » Lancelot est tout attristé de cette nouvelle. Il pense qu'une telle disparition est une grande perte pour l'ensemble de la chevalerie. Si le roi Baudemagu avait été tué par tout autre que messire Gauvain, nul doute que Lancelot aurait vengé cette mort.

Lancelot continue de chevaucher sans s'attarder. Il arrive enfin à Camaaloth, peu après Hector des Mares. Lionel et messire Gauvain, dont la blessure est complètement guérie, sont déjà revenus.

Beaucoup de chevaliers sont morts au cours de cette quête car nombreux furent ceux qui s'entretuèrent faute de se reconnaître. Messire Gauvain a avoué au roi Arthur qu'il a tué ainsi, malgré lui, messire Yvain et le roi Baudemagu de Gorre. Le suzerain est fort dolent de toutes ces disparitions.

– Hélas ! dit-il, je ne craignais que trop de ne pas vous revoir tous. Je ne pouvais être en liesse le jour de votre départ.

Tous les compagnons qui demeurent en vie sont maintenant de retour. Seuls Perceval, Bohor et Galaad demeurent encore en quête.

26

La guérison de Mordrain

Après avoir quitté Lancelot, selon l'ordre que lui a donné le chevalier blanc, Galaad chevauche rapidement. Il connaît diverses aventures au cours desquelles il se rend toujours plus estimable.

Un jour, il retrouve Perceval. Les deux chevaliers vont de compagnie.

Quelque temps plus tard, au sortir d'une immense forêt touffue, ils rencontrent Bohor. Tous trois ressentent une grande joie à se trouver de nouveau réunis. Ils ne doutent pas que le terme de la quête approche. Ils se souviennent des propos de la jeune fille dont ils ont mis le corps sur une nacelle.

Les trois compagnons parviennent au château de Corbenyc. Quand le roi Pellès les reconnaît, il se réjouit fortement au fond de son cœur. Le roi est tout ému de revoir Galaad. Tous ceux qui ont connu le jeune chevalier à l'époque de sa petite enfance partagent ce sentiment.

À la fin de l'après-midi, le ciel, qui était clair et ensoleillé, se couvre subitement. Un grand vent souffle dans le palais et une forte chaleur s'y répand. Chacun s'attend à un événement extraordinaire. Tout à coup, une voix mystérieuse s'élève :

— Que tous ceux qui n'ont pas le cœur et l'esprit entièrement purs sortent d'ici.

À ces mots, tout le monde quitte la salle en silence. Il n'y demeure que Perceval, Bohor et Galaad.

Peu après, les trois chevaliers voient entrer quatre demoiselles. Elles portent une litière sur laquelle repose un homme fort âgé. Il est coiffé d'une couronne d'or. Il a l'air meurtri. Les demoiselles posent la litière au milieu de la pièce et sortent sans avoir prononcé un mot. Le vieillard dit alors à Galaad :

— Soyez le bienvenu. J'ai tant désiré votre arrivée. Nul autre que moi n'aurait eu la force de supporter une telle attente. Voici enfin venu le moment où ma peine sera soulagée.

Les chevaliers comprennent que celui qui vient de parler n'est autre que Mordrain.

À cet instant, comme si le plafond s'écartait, un homme vêtu comme un évêque paraît descendre du ciel. Il est majestueusement assis sur une chaise que portent quatre anges. Sur son front brille une inscription : « Voici Joseph, l'évêque consacré en la cité de Sarras, au Palais spirituel, par Jésus-Christ lui-même. »

Les chevaliers sont stupéfaits de se trouver en présence d'un homme mort depuis si longtemps. Ils se rendent compte qu'ils sont en train d'assister à de prodigieux événements.

Au même moment, une table d'argent portant le Saint-Graal apparaît. L'évêque se prosterne. Les anges qui l'ont amené apportent deux cierges allumés, un tissu de soie vermeille et une lance de la pointe de laquelle s'écoulent des gouttes de sang. L'évêque se relève. Il incline la lance au-dessus du vase sacré de sorte que celui-ci recueille les gouttes de sang. Ensuite, il commence à célébrer l'office.

Une fois le service achevé, alors que la nuit est tombée sur le château, l'évêque dit à Galaad :

— Écoute bien, chevalier Désiré. Une haute mission t'attend. Ce Saint-Graal est le vase où fut recueilli le sang du Christ quand Longin lui perça le cœur de sa lance que voici. Maintenant que tu en connais la vérité, ta tâche sera de l'accompagner au Palais spirituel, en la cité de Sarras. Tu seras aidé de Perceval et de Bohor. Mais ne t'avise pas de toucher le Graal avant d'être arrivé en cette terre. Il ne doit pas demeurer davantage au royaume de Logres. Il n'y réapparaîtra plus jamais. Son ultime manifestation sera la guérison de Mordrain que tu vas accomplir en l'oignant du sang qui coule de la lance de Longin.

Ayant dit ces mots, l'évêque disparaît sans que quiconque puisse savoir comment.

Les chevaliers demeurent interdits. Ils se demandent comment ils pourront accompagner le Saint-Graal en la cité de Sarras.

S'ils ne doivent pas le toucher, comment l'emporteront-ils sur le bateau qu'il leur faudra bien prendre pour se rendre en cette contrée lointaine ?

Au bout d'un bref instant, devant Perceval et Bohor qui demeurent silencieux, Galaad s'approche de la lance. Il recueille précautionneusement les gouttes de sang et va en oindre les plaies de Mordrain. Aussitôt, ce dernier recouvre la vue et l'usage de ses jambes.

— Ah ! messires, dit-il, qu'il m'est doux de voir de nouveau et de pouvoir me déplacer !

Après sa guérison, Mordrain se retire dans un monastère où il demeure jusqu'à sa mort.

27

L'ACHÈVEMENT DE LA QUÊTE

La nuit est tombée depuis longtemps. Il est près de minuit lorsque les trois chevaliers sortent de la salle où ils ont assisté à la venue du Saint-Graal et où Mordrain a été guéri. Ils descendent dans la cour. Ils y trouvent leurs armes et des chevaux. Ils ne s'attardent pas. Ils montent en selle et s'éloignent.

Bohor, Perceval et Galaad chevauchent si bien qu'ils parviennent rapidement au rivage. À leur grande surprise et pour leur plus grande joie, ils y découvrent le vaisseau de l'épée à l'étrange baudrier. Ils montent à son bord. Ils sont émerveillés d'y trouver, à l'intérieur, posé sur une table d'argent, le Saint-Graal qu'ils ont laissé au château. Ils comprennent les paroles de l'évêque. Ils ont bien fait de les suivre et de ne pas toucher le vase sacré.

Le vent gonfle les voiles. Le vaisseau quitte le rivage et atteint rapidement la haute mer.

Les trois compagnons errent ainsi sur les flots pendant plusieurs jours. Nulle terre n'est en vue. Le navire continue de voguer à grande allure.

Perceval et Bohor disent alors à Galaad :

— Messire, vous ne vous êtes jamais étendu sur ce lit. Il était pourtant préparé à votre intention puisque vous avez acquis l'épée qui était à son chevet.

Le chevalier répond :

— Vous dites vrai, messires, cette couche me revient.

Galaad s'étend et ne tarde pas à s'endormir.

Quand le chevalier s'éveille, le vaisseau se trouve devant la cité de Sarras. Galaad prend alors la table d'argent sur laquelle le Saint-Graal est posé. Perceval et Bohor se disposent à l'aider pour la transporter, avec le vase sacré, au Palais spirituel.

À cet instant arrive, sur les flots, la nacelle où repose la jeune fille qui a généreusement donné son sang pour sauver la lépreuse. Perceval dit à ses compagnons :

— Cette demoiselle a bien tenu la promesse qu'elle nous a faite avant de mourir, quand elle nous a dit qu'elle nous rejoindrait ici, le moment venu.

Les chevaliers quittent leur navire. Ils se mettent en marche vers la cité. Arrivés au Palais spirituel, ils y déposent le Saint-Graal avec émotion et solennité. Puis ils retournent au rivage. Ils montent à bord du vaisseau où se trouve la jeune fille. Ils emportent le lit sur lequel elle est étendue. Ils enterrent son corps, dans la salle où ils ont déposé le vase sacré, avec les mêmes honneurs que ceux qui sont dus à une fille de roi.

À peine les chevaliers ont-ils accompli cette tâche que le roi de la cité, qui est de lignage sarrasin, les convoque tous les trois.

Il leur demande :

— Qui êtes-vous et qu'avez-vous apporté sur cette table d'argent puis déposé dans la plus belle salle du Palais ?

— Nous sommes chevaliers de la Table ronde, nous avons apporté le Saint-Graal et enterré, à son côté, le corps d'une jeune fille de grand mérite qui nous a guidés dans notre quête.

Le roi ne veut pas croire qu'ils ont déposé le vase sacré. Il les traite d'imposteurs et ordonne que les trois compagnons soient enfermés dans une prison sévère et bien gardée.

Peu après l'incarcération des trois chevaliers, le

roi tombe gravement malade. Il ne tarde pas à mourir. Les gens de la cité ne savent qui désigner comme suzerain. Ils sont bien embarrassés. Ils s'entretiennent et se consultent longuement. Une voix se fait alors entendre. Elle dit :

— Délivrez les chevaliers qui sont enfermés et prenez le plus jeune d'entre eux comme seigneur.

Les gens de la cité obéissent à la voix. Mais Galaad ne désire pas être nommé roi. Il refuse l'offre qui lui est faite. Les habitants insistent :

— Messire, nous ne savions qui prendre comme suzerain, une voix mystérieuse nous a éclairés.

— Alors je ne peux m'opposer à sa volonté, dit le chevalier.

Et, malgré lui, Galaad devient le roi de la cité de Sarras.

Sa première tâche est de couvrir la table d'argent d'une arche d'or et de pierres précieuses. Il dépose ensuite, à l'intérieur, le Saint-Graal.

Tous les matins, il vient, avec Perceval et Bohor, se recueillir devant le vase sacré.

Un jour, les trois chevaliers trouvent l'évêque Joseph agenouillé devant l'arche. Il appelle Galaad.

— Viens, pur chevalier, approche et découvre ce que tu as tant désiré voir et connaître.

Galaad s'avance et regarde dans le vase sacré. Il se met aussitôt à trembler. Ce qu'il aperçoit appartient au monde spirituel. Joseph disparaît mystérieusement. Galaad poursuit sa contemplation. Il se dirige ensuite vers Perceval. Il lui prend les bras, lui donne l'accolade et lui dit :

— Adieu, messire.

Il s'approche de Bohor, fait les mêmes gestes et dit :

— Adieu à vous aussi, messire. Saluez de ma part messire Lancelot, mon père, dès que vous le verrez.

Galaad retourne s'agenouiller devant la table d'argent surmontée de l'arche d'or qui renferme le Saint-Graal. Le chevalier expire. À peine Galaad est-il mort que Perceval et Bohor voient descendre une main qui resplendit d'une merveilleuse clarté. Elle prend le Saint-Graal, saisit la lance de Longin et les emporte vers le ciel. Depuis lors, personne ne peut être assez hardi pour prétendre avoir vu le vase sacré.

Perceval et Bohor sont fort dolents de la mort de Galaad. Les habitants de la cité de Sarras en ont aussi grand deuil. Ils creusent, à celui qui fut leur roi, une tombe à l'endroit même où il rendit l'âme.

Dès que Galaad est enterré, Perceval se retire dans un ermitage proche de la cité. Il souhaite y finir sa vie. Bohor l'accompagne.

—Je demeurerai quelque temps avec vous, dit-il à Perceval, puis je partirai pour la cour du roi Arthur où je désire retourner.

—Vous parlez avec raison, ami, répond Perceval. Galaad n'est plus et je sens que cette merveilleuse aventure a été la dernière qu'il me sera donné de connaître. Je préfère qu'il en soit ainsi car je n'aurais pu en vivre de plus haute. Il est juste que vous retourniez à Camaaloth car Monseigneur le Roi, Madame la Reine et tous nos compagnons doivent savoir comment s'est achevée cette quête que nous avions tous décidé d'entreprendre.

Bohor est encore à l'ermitage, lorsque, un matin, Perceval trépasse. Bohor le fait alors enterrer au Palais spirituel, en compagnie de Galaad et de la jeune fille qui changea le baudrier et donna sa vie pour sauver la lépreuse. Tous trois reposent dans la salle où l'on vit le Saint-Graal pour la dernière fois sur cette terre.

Le chevalier quitte alors la cité de Sarras tout armé. Il monte à bord d'un vaisseau et navigue sans encombre grâce aux vents favorables. Il parvient rapidement au royaume de Logres.

Bohor chevauche à grandes étapes jusqu'à Camaaloth. Le chevalier était parti depuis si longtemps que nombreux étaient ceux qui craignaient de ne pas le revoir. Le roi Arthur, la reine Guenièvre et tous les compagnons de la Table ronde lui réservent le meilleur accueil.

Le roi Arthur fait alors venir les clercs afin qu'ils écrivent fidèlement les aventures qui ont été vécues au cours de la quête du Graal. Après tous les autres chevaliers, Bohor relate tout ce qu'il a vu. Quoique tous soient fort dolents de la mort de Perceval et de celle de Galaad, chacun s'émerveille d'entendre le récit du cousin de Lancelot.

D'autres aventures, d'autres épreuves aussi, attendent les chevaliers de la Table ronde, mais c'est ainsi que prend fin la si mystérieuse Quête du Graal.

Le souci de fidélité aux textes originaux de cette adaptation et des exigences stylistiques ont nécessité l'emploi de quelques mots dont l'usage est peu répandu aujourd'hui.

Voici une rapide définition du sens qu'a chacun d'eux dans le texte.

Adouber : armer chevalier.
Baron : grand seigneur du royaume.
Château : le château fort lui-même, mais aussi, parfois, la petite ville fortifiée qui l'entoure.
Destrier : cheval de bataille.
Écu : bouclier.
Haubert : armure, cotte de mailles.
Heaume : grand casque qui protège la tête et le visage.
Homme lige : vassal qui a promis une fidélité absolue à son seigneur.
Lignage : ensemble des personnes d'une même descendance.
Maison : ensemble de ceux qui vivent avec un seigneur.
Palefroi : cheval de promenade, de parade ou de cérémonie.
Suzerain : seigneur qui est au-dessus de tous les autres.

TABLE DES CHAPITRES

François Johan a travaillé à partir des nombreuses versions des poètes et romanciers médiévaux pour écrire cette adaptation du cycle des Chevaliers de la Table ronde. Professeur de lettres, il se réjouit d'offrir aux lecteurs ces aventures fabuleuses de la quête du Graal qui, par-delà les siècles, demeurent une grande source d'émerveillement.

dès 10 ans

ÉPOPÉE & LÉGENDE

François Johan

LE CYCLE DES CHEVALIERS DE LA TABLE RONDE

LES ENCHANTEMENTS DE MERLIN

LANCELOT DU LAC

PERCEVAL LE GALLOIS

LA QUÊTE DU GRAAL

LA DESTINÉE DU ROI ARTHUR

illustrés par Nathaële Vogel

couvertures de Sibylle Delacroix

Pierre Dubois

ROBIN DES BOIS

illustré par Bruno Pilorget

Pascal Fauliot

L'ÉPOPÉE DU ROI SINGE

LES FILS DU SOLEIL

illustrés par Daniel Hénon

couvertures de Gianni de Conno

LE RAMAYANA

illustré par Philippe Munch

Homère

L'ILIADE

L'ODYSSÉE

traductions adaptées de Michel Voronoff

illustrés par Brunot Pilorget

couvertures de Gianni de Conno

LES AVENTURES DE SINDBAD LE MARIN

traduction adaptée de René R. Khawam

illustré par Jean-Michel Payet

couverture de Gianni de Conno

Virgile

L'ÉNÉIDE

traduction adaptée d'Annie Dubourdieu

illustré par Bruno Pilorget

Pierre-Marie Beaude

JÉSUS

illustré par Joëlle Jolivet

Lilyan Kesteloot

SOUNDIATA, L'ENFANT-LION

illustré par Joëlle Jolivet

couverture de Gianni de Conno

Carlo Collodi

PINOCCHIO

traduction de Jean-Paul Morel

illustré par Jean-Marc Rochette

Béatrice Bottet

RIFIFI SUR LE MONT OLYMPE

Sélection « 1000 jeunes lecteurs » 1996 UNCBPT

Prix littérature enfantine Martel 1996

Prix de Clermont-Ferrand 1997

Prix du Salon du livre pour enfants de Valenciennes 1997

FILLE DE LA TEMPÊTE (la légende d'Is)

illustré par Daniel Maja

couverture de Gianni de Conno

LE ROMAN DE RENART

mise en vers de Pierre Coran

illustré par Pascal Lemaître

couverture de Gianni de Conno

Anne Pouget

LES ÉNIGMES DU VAMPIRE

illustré par Daniel Hénon

couverture de Gianni de Conno

Beatrice Masini

HÉROÏNES DES LÉGENDES GRECQUES

traduction de Dominique Vittoz

illustré par Daniel Hénon

couverture de Gianni de Conno